OUVERTURE POUR UNE DISCOTHEQUE

NEUVIÈME ÉDITION REVUE ET COMPLÉTÉE

Il était établi que les hommes versés dans la science de la musique devaient écouter en silence jusqu'à la fin, et une baguette suffisait à contenir dans la bienséance les enfants, les esclaves qui leur servaient de gouverneurs et tout le peuple.

PLATON, *Lois*, L, 3.

Joueur de lyre tanagrien archaïque (Louvre).

CE LIVRE DE LA COLLECTION « SOLFÈGES », A ÉTÉ RÉALISÉ AVEC LE CONCOURS DE DOMINIQUE LYON-CAEN SOUS LA DIRECTION DE FRANÇOIS-RÉGIS BASTIDE

ROLAND DE CANDÉ

OUVERTURE POUR UNE
DISCOTHÈQUE

© Éditions du Seuil 1956. Toute reproduction interdite, y compris par microfilm. ISBN 2-02-000296-5

SOLFÈGES

MICROCOSME/SEUIL

Ce petit guide du Mélomane d'aujourd'hui n'est pas une histoire de la musique à l'usage des gens pressés, encore moins un manuel d'initiation générale à l'art des sons. Il ne saurait toutefois renier son propos didactique, car il est né de la constatation que le savoir musical occupe une position privilégiée dans le décor intellectuel de l'homme cultivé, position encore fortifiée depuis que l'enregistrement sur disques microsillons a gagné la faveur du public. L'amateur de musique, au départ de tout débat sur l'art, semble soucieux de montrer le bilan de ses connaissances, soit qu'il fasse état sans nécessité d'informations recueillies au hasard des lectures ou des conversations, soit qu'il proclame fièrement « ne rien y connaître en musique » pour se mettre à l'abri des pédants, ou pour paraître ensuite moins ignorant qu'il ne veut modestement le reconnaître.

Je ne trouve pas qu'il faille rire des « snobs » qui s'efforcent de tout connaître et de se maintenir à l'avant-garde de l'actualité. Sans doute confondent-ils souvent le savoir nécessaire et le savoir superflu, sans doute gâtent-ils chaque instant de joie possible en s'efforçant à juger contre leur sentiment... Mais ils sont eux-mêmes leurs seules victimes, et l'art y trouve le bénéfice de défenseurs hardis. De même, je ne comprends pas pourquoi Berlioz se montre si virulent en demandant « pourquoi, lorsqu'on est un respectable M. Prud'homme, ne pas parler la langue de son emploi, faire semblant de comprendre et de sentir et ne pas dire franchement avec tant d'autres : « C'est assommant ! ah ! c'est assommant ! » Pourquoi baisser la voix pour dire comme je l'ai entendu dire si haut : « Veuillez m'excuser, Madame, de vous avoir fait subir une telle rhapsodie ; nous irons voir Guignol demain aux Champs-Élysées pour nous dédommager. Ce sont ces imbéciles de journalistes qui nous ont amenés dans ce traquenard... » Que M. Prud'homme fasse semblant d'aimer est bien. Avant d'être initié aux secrets d'un art et d'en éprouver autant de joies que d'autres autour de nous, emboîtons le pas derrière les plus éclairés, avec le maximum de discernement, et efforçons-nous d'acquérir un minimum de culture pour ne pas être tenu trop à l'écart des assemblées de fidèles ! Nous aurons de fortes chances, très vite, de découvrir la beauté.

Avant tout, le mélomane gagne à posséder une claire vue d'ensemble sur toute l'histoire de la musique (et non pas seulement sur les trois ou quatre derniers siècles) : il puisera dans cette connaissance un éclectisme rendu nécessaire par la relativité du Beau musical (voir page 248 « Des goûts et des couleurs »). Ensuite, il devra se renseigner sur l'origine et la structure des grandes formes musicales, car la beauté ne réside pas seulement dans le détail mais dans la complète architecture de l'œuvre, dont l'esprit de l'auditeur doit pouvoir faire la synthèse. Il se constituera enfin peu à peu un musée des chefs-d'œuvre, cherchant à comprendre la genèse de chacun d'eux... Par ailleurs, il ne sera jamais superflu qu'il étudie, selon ses goûts, ses dons et le temps dont il dispose, les règles du langage musical, conjointement à la pratique d'un instrument (de toute évidence, il n'a pas le temps de devenir un virtuose, mais qu'il mette son ambition à pouvoir lire au piano, même imparfaitement, les partitions trop rarement entendues au concert).

L'étude de la théorie musicale ne pose d'autre problème que celui du temps disponible et des dispositions naturelles, car il est aisé de trouver un bon maître ou de bons traités. Mais où apprend-on à connaître et à choisir les chefs-d'œuvre ? La critique ne doit être suivie qu'avec une certaine prudence, car bien des titulaires de rubriques musicales ignorent presque tout de la musique, du public et de l'art d'écrire ; le discrédit qu'ils font subir à la profession rejaillit malheureusement sur les vrais critiques dont le « métier » s'est fait au cours d'études difficiles. Il est en outre impossible de « montrer » une œuvre au lecteur, si ce n'est fragmentairement en imprimant quelques mesures de musique ; et par ailleurs, il est très difficile d'expliquer la beauté d'un chef-d'œuvre. On se contente donc bien souvent de citer pêle-mêle quelques titres, dont le choix est malaisé, car celui qui aime la musique a envie de tout citer. Et ces énumérations sont peu efficaces : combien d'œuvres musicales mentionnées dans toutes les « Histoires de la Musique » sont inconnues des mélomanes qui ne les voient jamais inscrites aux programmes des concerts ! Ces livres ressemblent à des histoires de la peinture sans photographies de tableaux.

La plupart des difficultés qui se présentent au mélomane désireux de connaître la musique trouvent leurs solutions dans l'enregistrement sur disques et l'on peut prétendre qu'une bonne discothèque vaut, pour s'initier à la musique, les bibliothèques les mieux constituées. Ceci pour deux raisons principales :

1. Les maisons commerciales éditrices de disques, soucieuses d'inscrire à leur catalogue des œuvres qui ne figurent pas sur les catalogues

concurrents, prospectent attentivement toute l'histoire de la musique. Il en résulte que le répertoire de musique enregistrée est aussi vaste que l'on peut le souhaiter et comprend de nombreux chefs-d'œuvre que l'on n'entend jamais au concert.

2. Les œuvres importantes du grand répertoire ont donné lieu à plusieurs versions enregistrées, dont une au moins peut être considérée comme une interprétation de référence proche de la perfection.

COMMENT CONSTITUER UNE DISCOTHÈQUE ?

C'est d'abord une affaire de goût. Il faut commencer par entendre et réentendre les œuvres que l'on préfère, mais il faut avoir une curiosité en éveil et ne pas oublier que, parmi les œuvres que l'on ne connaît pas, il en est sans doute que l'on aimerait plus que toutes les autres. Vivaldi, dont le nom était inconnu avant 1950 de la plupart des mélomanes, a vu ses œuvres promues best-sellers *de la musique enregistrée !*

En second lieu, il est important de savoir quels sont les genres majeurs de chaque époque et quels compositeurs ont le mieux traité chaque genre, afin d'orienter plus sûrement son choix vers le meilleur. Il est certain, par exemple qu'en dépit de la grande beauté de certaines symphonies de Schubert, le génie de ce musicien ne devient vraiment exceptionnel que dans le lied *et la musique de chambre ; de même, la splendeur des grandes polyphonies vocales de la Renaissance laisse un peu dans l'ombre les ravissantes pièces pour luth.*

Le présent livre aidera, je l'espère, le discophile dans son choix. Il est ainsi conçu :

- La première partie est une vue d'ensemble de l'histoire de la musique, d'où les biographies de musiciens ont été délibérément exclues, puisqu'elles figurent dans toutes les « Histoires de la Musique ». Il faut donc plutôt voir dans cette première partie un tableau des grands courants musicaux, une histoire résumée des styles et des œuvres. Les œuvres importantes seront mentionnées dans la discographie avec la référence du meilleur enregistrement existant.

- La seconde partie est consacrée à diverses questions que l'amateur peut se poser sur la science musicale, sur certains termes techniques, la fabrication des disques, les instruments de musique, etc...

Ce livre est en somme destiné à tous ceux qui aiment la musique, collectionnent les disques et se dirigent à tâtons dans un monde parsemé de chefs d'œuvre, sans avoir le temps de préparer leur itinéraire. Puisse-t-il les aider à trouver des joies nouvelles !

7

Note sur la discographie

En dépit du faible emplacement qu'elle occupe dans l'ensemble du texte imprimé, la discographie, contenue dans ce livre a demandé un important travail : choix des œuvres, comparaison des divers enregistrements, hésitation entre les versions dignes de louanges pour des raisons différentes... Toutefois cette discographie n'est certainement pas parfaite et définitive, la part subjective étant évidemment grande dans le choix entre deux interprétations également remarquables. Voici quelques principes qui ont présidé à ce travail et quelques explications utiles pour qui veut l'utiliser avec fruit :

    1. Le choix des disques tient compte dans la mesure du possible de l'interprétation et de la qualité technique. Dans les cas (assez rares) où le dilemme s'est posé, on a préféré une bonne interprétation servie par une technique moins bonne à la solution inverse.

    2. Pour les très grands musiciens ayant composé une série d'œuvres de même genre, toutes justement célèbres (ex. les neuf Symphonies de Beethoven, les opéras de Mozart, ceux de Wagner), le meilleur enregistrement de chaque œuvre est cité : c'est au lecteur de décider s'il préfère écouter en premier Don Juan plutôt que la Flûte Enchantée.

    3. Beaucoup de disques disponibles sur le marché français sont de provenance étrangère : certains sont importés, d'autres sont pressés en France à partir de bandes ou de matrices cédées à une maison française qui les publie sous sa propre étiquette. Mais les contrats commerciaux changent et un même enregistrement peut être amené à changer de marque. On ne saurait donc trop recommander à l'amateur de commander ses disques en mentionnant soigneusement l'interprétation qu'il désire et en n'accordant à la marque et au numéro de catalogue qu'une faible valeur indicative.

    4. Le développement commercial de la stéréophonie n'introduit pas de critères déterminants dans un choix essentiellement artistique. La plupart des enregistrements récents se présentent en « gravure universelle » : ils peuvent donc être écoutés sur tout électrophone de bonne qualité, mono ou stéréo.

Abréviations

b.c.	basse continue	DF	Discophiles Français (groupe Pathé-Marconi)
ch.	chœurs	DGG	Deutsche Grammophon Gesellschaft
v.	voix		
orch.	orchestre	Dov	Dover
3 × OL	trois disques Oiseau-Lyre en album	Duc	Ducretet-Thomson (groupe Pathé-Marconi)
4×3 Vox	quatre albums de trois disques Vox chacun	Ens	Ensayo
		Era	Erato
op.	opus	GID	Guilde internation. du disque
Adè	Adès	HM	Harmonia Mundi
Ama	Amadeo	Hun	Hungaroton
AMS	Archives de musique sacrée	Mer	Mercury
Ang	Angel. Emi. Pathé-Marconi	Mus	Musidisc
Arc	Archiv-Produktion	OL	Oiseau-Lyre
Arco	Arcophon	Phi	Philips
Arg.	Argo	RCA	Radio Corporation of America, FY
Ari	Arion		
Bae	Baerenreiter	Sup	Supraphon
BaM	Boîte-à-Musique	Tel	Telefunken
Bar	Barclay	Tri	Trianon
Cal	Calliope	Tud	Tudor
CBS	Columbia Broadcasting System (Columbia américaine)	Val	Valois
		Vég	Véga
Cha	Charlin	VsM	Voix de son Maître, EMI
CdM	Chant du Monde	Wer	Wergo (Harmonia Mundi et CBS)
DaC	Da Camera		
Dec	Decca		

Dates	Musique	Arts et Lettres	Histoire
v. 3200-2060			Égypte : Ire à XIe dynasties
v. 3000	Musique suméro-chaldéenne	Les Pyramides	
v. 2060-1580			Égypte : XIe à XVIIe dynasties
v. 2000	Instruments retrouvés en Égypte	Apogée de l'art sumérien	Début de la civilisation babylonienne
v. 1500	Apogée de la musique crétoise	Temple de Louqsor	Moïse : Exode des Hébreux
1029-974			David, roi d'Israël
v. 1000	Musique chorale et instrumentale chez les Hébreux		Guerre de Troie
v. 800	Jeux pythiques	Art Étrusque	
753			Fondation de Rome
v. 600	Musique étrusque		
586			Les juifs déportés à Babylone
572-530	Pythagore et la musique		
408	Fragment d'*Oreste*		
336-323			Empire d'Alexandre
v. 305		*Victoire de Samothrace*	
v. 200	L'hydraule à Alexandrie. Hymnes delphiques	Grande littérature latine	
146			Conquête de la Grèce par Rome
58-50 J-C.	Musique grecque à Rome	Pont du Gard Colisée	Conquête de la Gaule par César
200		Arènes de Nimes	
	Musique byzantine		
354-430		Saint Augustin	
v. 400			Invasion des barbares

Tombeaux de Zi et de Ptah-hotep à Sakkara,
IVe et Ve dynasties (Musée Guimet).

La recherche archéologique a permis à quelques musicologues contemporains de décrire la musique de l'antiquité
avec une précision d'autant plus remarquable que nous ne
possédons aucun texte musical noté antérieur à l'ère chrétienne
(à de faibles exceptions près : voir plus loin). Nous manquons
même de renseignements sur l'existence d'un système
de notation musicale chez les Sumériens, les Assyriens,
les anciens Égyptiens et les Hébreux.

Cependant, il est bon de connaître les origines de traditions musicales qui sont les nôtres. On découvre ainsi que,
3.000 ans avant Jésus-Christ, la civilisation suméro-chal-
déenne connaissait l'usage des flûtes en argent et en roseau,
des harpes, de la lyre à cinq, sept ou onze cordes (instruments
découverts au cimetière royal d'Ur) ; que, dès l'Ancien
Empire, c'est-à-dire en des temps aussi lointains, les Égyptiens utilisaient des instruments analogues, avec prédominance de la harpe qui fut l'instrument national (on a découvert
de plus en Égypte une anche double en roseau, analogue
à celle du hautbois moderne et une trompette en bronze)...

Les Sumériens

La civilisation sumérienne a rayonné longtemps sur
toute l'Asie occidentale. Vers l'an 2000, Babylone triomphante
adopte les traditions artistiques de Sumer puis, vaincue,
les transmet à l'Assyrie. Les Hittites les font passer en Égypte,
déjà riche d'une tradition musicale qui a pénétré celle des Grecs
(la Crète plus exactement) et même celle des Étrusques.

Les Hébreux

Quant aux Hébreux, les textes bibliques nous renseignent abondamment sur l'importance de la musique dans toutes les circonstances de leur vie, sur les genres musicaux qu'ils cultivaient (chants de guerre, chansons de métiers, psaumes, lamentations, cantiques) et sur leurs instruments de musique (le livre de Daniel décrit un orchestre composé d'une trompette, une flûte, une cithare, une sambuque, un psaltérion). De plus les *Livres Historiques* nous ont conservé les poèmes de quelques chants très anciens célébrant les grands moments de l'histoire d'Israël. Malheureusement, on ignore tout de ce que pouvait être la musique des Hébreux, pourtant appréciée et renommée, même à Babylone (Voir *Psaume 137* : « Sur les bords des fleuves de Babylone... ») et l'on ignore quelle a pu être son influence sur la musique occidentale.

Joueur de lyre crétois.

Les Grecs

De la Grèce musicale, nous savons beaucoup plus, du moins à partir du VIIIe siècle avant Jésus-Christ, car pour la Crète antique, riche civilisation, nous n'avons de documentation musicale que dans les nombreuses représentations d'instruments figurant sur des vases, peintures ou bas-reliefs ; quant à la musique de la Grèce archaïque, nous ne la connaissons qu'à travers le mythe d'Orphée, celui d'Olympos (représentant l'influence asiatique) et les épopées de style homérique dont nous savons seulement qu'elles étaient accompagnées d'instruments à cordes (lyre, cithare), à vent (aulos à

Joueuse de lyre attique.
Vᵉ siècle av. J.-C. (Louvre).

anches, syrinx, trompette) et à percussion.

Les premiers renseignements précis sur la musique grecque nous viennent des écrits de philosophes tels que Pythagore (véritable théoricien de la musique), Platon, Aristote et Aristoxène. Depuis le VIIIᵉ siècle, les Jeux Pythiques de Delphes comportaient des concours artistiques où la musique jouait un grand rôle. Terpandre, vers 675, composait des nômes (poèmes de style homérique) qui se chantaient aux Jeux Pythiques avec accompagnement de cithare ou d'aulos [1] et comportaient parfois des solos et même des duos instrumentaux (cithare et aulos). Parmi les plus célèbres compositeurs grecs, il faut citer Pindare, Eschyle, Sophocle et Euripide. On connaît fort heureusement le système de notation des Grecs, qui consiste en lettres de l'alphabet diversement inclinées [2] : c'est ainsi qu'on a pu déchiffrer les plus anciens documents musicaux connus, qui sont au nombre de dix :

1. Fragment d'un chœur de l'*Oreste* d'Euripide (408 av. J.-C.)

2. Hymne delphique à Apollon (anonyme, vers 138 av. J.-C.)

3. Hymne delphique à Apollon par Limenios (128 av. J.-C.)

---

1. *Cithare* : instrument à cordes à dos plat, tendu de sept, puis de onze cordes. *Aulos* : instrument à vent dont il existait deux types, l'un cylindrique à anche battante (ancêtre de notre clarinette), l'autre conique à anche double (ancêtre de notre hautbois). Il pouvait être double.

2. Les Grecs ne furent pas les premiers à utiliser un système de notation musicale. On en cite des exemples aux Indes et en Chine à des époques très reculées. Les Babyloniens en auraient aussi fait usage.

Acrotère du Temple de Zeus (Olympie).

4. Épitaphe de Seikilos (Ier siècle de notre ère)
5. Hymne à la Muse, pour cithare, attribué à Mésomède (v. 130)
6. Hymne au Soleil de Mésomède (v. 130)
7. Hymne à Némésis de Mésomède (id.)
8. Fragments vocaux de Contrapollinopolis (Thébaïde) (v. 160)
9. Fragments instrumentaux du même papyrus de Thébaïde
10. Hymne chrétienne d'Oxyrhynchos (Égypte) (fin du IIIe s.).

Il ne semble pas que les Grecs aient connu la polyphonie au sens où nous l'entendons aujourd'hui ; le seul enrichissement que leur musique ait tiré de la flûte double, de la trompette double ou des multiples cordes de la lyre fut de pouvoir exécuter un accompagnement sommaire à la partie supérieure, accompagnement qui ne consistait probablement qu'en une longue tenue (le premier degré du mode). Par contre, dans le domaine mélodique, leur musique témoignait, dit-on, d'un art consommé ; les modes diatoniques classiques de huit notes acquirent peu à peu des degrés intermédiaires et comportèrent jusqu'à dix-huit sons ; les chanteurs et les instrumentistes avaient la faculté de passer d'un mode à l'autre par l'altération d'un degré du mode initial (la modulation) ; les chanteurs de l'époque décadente acquirent l'habitude de chanter plusieurs notes sur une même syllabe, chose inconnue des anciens Grecs, ce qui conduisit à la pratique de véritables vocalises où étaient utilisés de très petits intervalles (voisins de notre quart de ton) fort difficiles d'intonation.

Rome. La musique chrétienne

Quand Rome eut conquis la Grèce (146 av. J.-C.) et adopté l'art du vaincu qui rayonnait déjà sur tout l'Occident, cet art, trop savant et séparé de ses sources populaires, était en pleine décadence. Rome, éblouie par ses conquêtes, oublia les traditions étrusques (d'origines diverses, y compris égyptienne) et conduisit la musique aux plus ridicules excès : constitution d'orchestres monstres [1], fabrication d'hydraules géants [2]...

Nous ne possédons malheureusement aucun fragment de musique latine, bien que les Romains aient pratiqué un système de notation musicale utilisant les premières lettres de l'alphabet.

Cependant, l'Église chrétienne naissante créait une liturgie musicale par la synthèse, et sans doute la simplification, d'éléments divers (grecs et hébraïques surtout) ; nous ne connaissons rien de cette musique chrétienne primitive, antérieurement au IVe siècle, époque où saint Ambroise, évêque de Milan, introduisit dans son diocèse le chant des *Antiennes* et des *Hymnes*, tel qu'il était pratiqué dans les églises d'Orient. Mais nous savons qu'à cette époque saint Jean Chrysostome fixait la liturgie de la messe byzantine et introduisait à Constantinople la pratique des *Antiphones* (ou *Antiennes*) importée d'Antioche. On a donc tout lieu de penser qu'il existait entre le rite ambrosien et le rite byzantin de grandes similitudes. La musique byzantine, héritière de la Grèce et de l'Orient, était subtile et savante. Elle utilisait des modes dérivés des modes grecs, mais plus complexes, et pratiquait deux « genres » principaux : le *diatonique*,

---

1. Comprenant une grande variété d'instruments à vent nouveaux (tuba-cornu, buccin, lituus).

2. L'hydraule, orgue primitif constitué par une sorte de grande flûte de Pan munie d'un clavier et d'un système d'air comprimé, est une invention grecque qui s'est réalisée sur la terre égyptienne vers 200 av. J.-C. C'est d'Alexandrie que l'hydraule parvint à Rome.

qu'adopte de nos jours l'Église russe (intervalles voisins de nos tons et demi-tons), et l'*enharmonique*, perpétué par l'Église grecque (intervalles voisins de nos quarts de ton).

En même temps qu'ils introduisaient chez nous le chant vocalisé d'Orient, les Pères de l'Église s'alarmaient de voir un fossé toujours plus grand se creuser entre l'art savant et le peuple. Déjà la secte des néo-pythagoriciens s'était élevée à plusieurs reprises contre l'abus des très petits intervalles qu'ils jugeaient « efféminés ». Un vent de réaction souffla et la liturgie chrétienne se vit imposer l'usage des seuls modes grecs classiques (échelles diatoniques, c'est-à-dire celles que l'on peut obtenir sur les seules touches blanche du piano). C'est à cette occasion que fut commise une curieus erreur qui se perpétua jusqu'à nos jours [1] : les nouveau modes (« tons ecclésiastiques » ou « modes du plain-chant ») furent affublés de faux noms, dans le doute où l'on se trouvait quant à la nomenclature exacte des modes grecs. C'est ainsi que le mode de *ré* (mode *phrygien* chez les Grecs) s'appela *dorien ;* et comme les musiciens chrétiens avaient eu connaissance de la prééminence du mode * dorien national (mode de *mi* chez les Grecs), le nouveau mode dorien, ou mode de *ré*, devint le « premier ton » du plain-chant et le plus fréquemment employé.

Voilà le langage musical qui nous a valu les chefs-d'œuvre que l'on admire encore aujourd'hui sous l'appellation de « Chant Grégorien » et dont la beauté reste toujours vivante dans la diversité des interprétations (et Dieu sait si les écoles grégoriennes contemporaines sont diverses et croisent le fer avec acharnement !). La pérennité de cet art est le signe de ses fermes vertus. Seul témoignage vivant d'une civilisation musicale antique, la musique chrétienne a résisté au formidable raz-de-marée des invasions barbares qui, aux IVe et Ve siècles, ont déferlé sur l'Europe, marquant le début d'une ère nouvelle pour la culture occidentale.

---

[1]. Boèce n'a jamais été responsable de cette erreur, comme on l'a parfois prétendu.

Le signe (*) renvoie au lexique que l'on trouvera à la fin du volume.

Flûtiste et jongleur (St-Martial de Limoges).

PLAGITE

OENI

a filio

Sicut er

nunc &

feculor

Du VIe au XIIIe siècle

Dates	Musique	Arts et Lettres	Histoire
428-751			Mérovingiens
590-604	Grégoire le Grand pape		
751-986			Carolingiens
842		*Serment de Stras-bourg*	
	Les « Tropes »		
v. 900	Hucbald : *Musica enchiriadis*	*Contes des mille et une nuits*	
970-1050	Guy d'Arrezzo		
987			Avènement des Capétiens
1050-1125	La musique à St-Martial de Limoges	Grandes basiliques	
v. 1090		*Chanson de Roland*	
1095			Première croisade
1150		*Roman de Renard*	
1163	Époque de Léonin	Notre-Dame de Paris en cons-truction	
1180-1223			Philippe-Auguste
1191		Mort de Chrétien de Troyes	
v. 1200	Époque de Pérotin	*Tristan et Iseult*	
1225-1274		Saint Thomas d'Aquin	
1226-1270			Saint Louis
1262		Naissance de Dante	
1283	*Jeu de Robin et Marion*	Théâtre de Rutebeuf	
1285-1314			Philippe le Bel
1287	Mort d'Adam de la Halle		

Psautier d'Utrecht (IXe s.)

Le « Chant grégorien »

Les spécialistes ont qualifié d'« Age d'or du Chant grégorien » les trois ou quatre siècles de barbarie qui ont suivi les grandes invasions. Nous ne possédons pas de textes musicaux datant de cette période, mais une solide tradition orale a transmis aux siècles suivants le prodigieux répertoire des Introït, des Antiennes, des Alleluias et des Hymnes, dont les auteurs, hommes d'église obscurs, sont pour la plus grande part inconnus de nous. La production dite « grégorienne » se poursuit jusqu'au XVIIe siècle, mais les œuvres tardives ne sont en général que des pastiches plats ou des remaniements de pièces anciennes (la *Messe des Anges,* par exemple, qui date du XVIe siècle, comporte un *Sanctus* sur une mélodie du XIIe). Une exception doit être faite cependant pour les pièces en vers (Hymnes et Séquences*) dont quelques-uns des plus beaux chefs-d'œuvre appartiennent au XIIe et XIIIe siècles. (*Dies Irae* et *Lauda Sion* entre autres.)

Le danger de la transmission orale de chants relativement difficiles, d'une extrémité à l'autre du monde chrétien, était le rôle que pouvaient jouer le hasard et la fantaisie dans l'interprétation de ces chants. Chaque peuple adaptant aux habitudes musicales de sa race les chants qui lui parvenaient de diocèses lointains, il en résultait, au bout de quelques générations, la formation d'un certain nombre de folklores liturgiques au sein desquels les mélodies primitives devenaient méconnaissables. Saint Grégoire-le-Grand, pape de 590 à 604, sentit l'importance du danger et fit du retour à l'unité

le but de sa réforme : il établit donc un graduel type *(Antiphonaire)* qui fut imposé à tous les diocèses, et envoya partout des missionnaires chargés d'enseigner le chant d'église. Un peu plus tard, Charlemagne comprit à son tour l'importance que l'unification des rites sacrés pouvait avoir dans le maintien d'une autorité qui s'étendait aux races les plus diverses. Fidèle à son rôle avantageux de défenseur de la Papauté, il décida de poursuivre l'œuvre grégorienne et revêtit cette entreprise d'un caractère d'importance qui ne manqua pas d'étonner certains historiens. Dans une phrase demeurée célèbre, il ordonna : « *Revertimini vos ad fontem sancti Gregorii, quia manifeste corrupistis cantum* [1]. »

En interdisant de composer des pièces nouvelles, en refusant de s'adapter aux usages musicaux de chaque peuple, la réforme grégorienne rendait impossible toute évolution de la musique liturgique, dont elle signait par conséquent l'arrêt de mort. Heureusement, il fallut des siècles de lutte incessante pour soumettre à la réforme des évêques ou des abbés jaloux de leur indépendance ; et d'autre part, la notation, seul moyen efficace d'imposer une formule musicale *sine varietur*, demeura longtemps inconnue, les premiers *neumes* n'apparaissant que vers le VIIIe siècle et le système alphabétique des Romains étant tombé en désuétude du fait de son invraisemblable complexité.

Progrès de la notation

La notation neumatique était une sorte de sténographie musicale destinée à aider la mémoire des chanteurs en leur indiquant la durée relative des sons et l'allure approximative de certains groupes de notes. L'imprécision de ce système, qui en rend aujourd'hui l'interprétation si hasardeuse, avait déjà frappé les théoriciens du IXe siècle, qui eurent l'idée de placer au-dessus des neumes les lettres de la notation alphabétique [2].

---

1. « Retournez aux sources de saint Grégoire, car vous corrompez manifestement le chant. »
2. A : *la* - B : *si* (le *si* descendu d'un demi-ton s'appellera B mol, d'où *bémol* par opposition au B carré, d'où bécarre). - C : *ut* - D : *ré* - E : *mi* - F : *fa* - G : *sol*. Ce système, qui découle d'une simplification de la notation alphabétique romaine, est encore en usage de nos jours dans la terminologie allemande et anglaise.

Saint Grégoire le Grand.
Ms latin du Xe s. (Bibliothèque Nationale.)

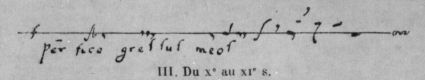

II. Extrait de l'Antiphonaire de St-Gall (IXᵉ s.)

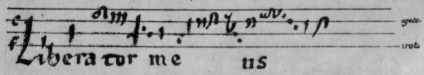

III. Du Xᵉ au XIᵉ s.

IV. Du XIIᵉ au XIIIᵉ s.

V. Notation carrée.

Évolution de la notation musicale.
(« Dictionnaire de Musique » de Riemann.)

Au Xᵉ siècle, on eut enfin l'idée de préciser la valeur d'into-nation des neumes au moyen de lignes ; une seule, d'abord, qui situait la note *fa*, puis une seconde qui indiquait la posi-tion de l'*ut* supérieur, enfin une troisième et une quatrième ; la ligne de fa (F) et celle d'ut (C) étaient indiquées chacune par une lettre qui, en se déformant peu à peu a donné nais-sance à nos clefs modernes. En même temps les neumes se modifiaient, les traits devenaient plus gros, les points pre-naient des formes de carrés ou de losanges : ainsi naquit à partir du XIIᵉ siècle la notation gothique, qui deviendra rapidement la *notation carrée*, encore en usage aujourd'hui pour le répertoire du plain-chant [1], et peu après la *notation*

---

1. Nos éditions modernes de chant grégorien sont en général la repro-duction de manuscrits du XIVᵉ et XVᵉ siècles.

proportionnelle qui adopte les signes de la notation carrée mais leur attribue des valeurs de durée fixes. Au milieu du XVe siècle, le système proportionnel fut perfectionné au point de revêtir, à peu de choses près, l'aspect de notre notation moderne.

Le nombre des théoriciens, dont le haut Moyen âge nous a transmis les noms ou les ouvrages, donne une idée de l'intérêt que l'on prenait alors à la constitution d'un vocabulaire musical. L'un des plus célèbres d'entre eux fut Guido d'Arezzo, savant moine bénédictin qui contribua au perfectionnement de la notation et attribua aux notes les noms qu'elles portent aujourd'hui (à l'exception du *si* : celui-ci forme avec le *fa* l'intervalle de quarte augmentée qui terrorisait les musiciens du Moyen âge, si bien que cet intervalle fut appelé *diabolus in musica* et que ni Guido d'Arezzo ni ses successeurs ne voulurent donner un nom au 7e degré de la gamme).

Musique religieuse

Les plus anciens documents que nous possédions sont, pour la plupart, des œuvres religieuses, pour la raison très simple que les moines, représentant la classe intellectuelle, furent pendant longtemps les seuls à pouvoir écrire la musique.

Jean de Damas et Cosme de Majuma notant leurs chants d'église.
Ménologe de Basile I. (Bibliothèque du Vatican.)

Ancien manuscrit de Pesaro.

Au IXe siècle, ils inventèrent les *tropes*, sortes de poèmes mnémotechniques que l'on adaptait aux vocalises trop difficiles à retenir et qui furent ensuite le prétexte de nouvelles compositions religieuses (v. * SÉQUENCE) ; le répertoire né des *tropes*, *séquences* ou *proses* ne cessa de se développer jusqu'au XVIe siècle (Concile de Trente). Selon Jacques Chailley, l'un des meilleurs spécialistes de la musique médiévale, les tropes auraient été à l'origine des *Passions* et des *Mystères*, qui jouèrent aux Xe et XIe siècles un si grand rôle dans la littérature française et donnèrent ensuite naissance aux *Chansons de Geste*. Nous ne connaissons malheureusement presque rien de la musique des Passions et des Mystères, pas plus que celle des Chansons de geste, dont nous savons seulement qu'elles étaient déclamées par un trouvère ou un jongleur qui s'accompagnait de la vièle.

Musique profane

Pour la musique profane, les premières « œuvres » ne furent sans doute que des danses instrumentales (flûtes, flageolets, musettes, trompettes, tambours et cymbales) ou des chansons populaires, plus ou moins improvisées sur des thèmes du plain-chant et accompagnées par la vièle ou la harpe. Mais du XIe au XIIIe siècle se multiplia une noble espèce de chanteurs–compositeurs–poètes, connus selon les pays sous les noms de *troubadours* (Provence), *trouvères* (nord de la France), *ménestrels* (serviteurs et interprètes des trouvères), *bardes* (pays de Galles, Écosse, Irlande : caste vénérée et protégée par les lois), *minnesaenger* (Allemagne)... Comparables à nos grands solistes internationaux, ils allaient de ville en ville, enseignaient le chant aux grands de ce monde et créaient des écoles. Quelques très beaux manuscrits (parmi lesquels le MS fr. 22543 de la Bibliothèque Nationale) nous livrent un grand nombre de chansons de troubadours et de trouvères : pour les seules régions de langue d'oc où l'on a pu retrouver les noms de plus de 450 troubadours, on connaît environ 260 mélodies. Les troubadours et les trouvères les plus fameux sont : Guillaume IX, comte de Poitiers et duc d'Aquitaine, (le plus ancien troubadour connu), Marcabru, Jaufré Rudel, Bernard de Ventadour, Conon de Béthune, Blondel de Nesles, Thibaud de Champagne roi de Navarre (1201-1250), et le célèbre Adam de la Halle qui doit sa réputation beaucoup moins à ses chansons qu'à ses œuvres dramatiques (voir plus loin). Les différents genres sont : le *sirventès* (chanson politique qui comprend la *chanson de croisade*), le *canso* (chanson d'amour), le *tençon* (ou *joc partit*, sorte de joute poétique et musicale), la *pastourelle*, la *chanson de toile* (narrative et mélancolique), etc... Chacun de ces genres se distingue beaucoup plus par le poème que par la mélodie, le plus souvent de rythme ternaire et construite sur le modèle du « lied strophique » (tous les couplets sur la même mélodie).

Les origines de la musique polyphonique

Pendant ce temps, se développe très remarquablement la polyphonie, pratique musicale qui, pour nos contemporains est presque synonyme de musique, mais qui a préoccupé singulièrement tous les théoriciens du Moyen âge. Dans son acception la plus générale, le terme « polyphonie » désigne l'ensemble des techniques de composition musicale qui permettent de faire entendre différents sons simultanément, soit en superposant deux ou plusieurs mélodies d'égale importance, soit en « accompagnant » une mélodie par une ou plusieurs parties secondaires.

Les origines de la polyphonie sont multiples dans ses formes inconscientes ou semi-conscientes. Les flûtes doubles, dont on a trouvé des spécimens datant de 3.000 ans av. J.-C., permettaient d'émettre deux sons simultanés ; de même les instruments à cordes pincées qui existent depuis la plus haute antiquité. On a vu que les Grecs avaient imaginé sur leurs flûtes doubles ou sur leurs lyres des « accompagnements » rudimentaires à la partie supérieure (nous ne savons pas exactement en quoi consistaient ces accompagnements). D'autre part, dans les orchestres importants, tels qu'il en est décrit dans la Bible et représenté sur divers bas-reliefs, certaines tournures mélodiques étaient évidem-

Miniatures du Cantigas Codex.
(Bibliothèque de l'Escurial.)

ment injouables pour tel ou tel groupe d'instruments, qui devaient momentanément jouer des notes différentes. Sur les hydraules utilisées à Alexandrie au IIIe siècle av. J.-C., on pouvait faire fonctionner plusieurs tuyaux simultanément... Enfin l'on peut remarquer aujourd'hui encore dans des collectivités peu musiciennes une forme instinctive et primitive de polyphonie qui a dû exister depuis que les hommes chantent : un groupe d'hommes et de femmes croient chanter à l'unisson, mais les femmes chantent une (ou parfois deux) octaves plus haut que les hommes, et quelques francs-tireurs (hommes à la voix trop élevée ou femmes à la voix trop grave) chantent une partie intermédiaire qui se maintient à la quinte ou à la quarte des deux autres. On pourrait multiplier les exemples...

Le début d'un art polyphonique conscient peut se situer au commencement du Xe siècle. De cette époque date en effet le plus ancien texte polyphonique qui nous soit parvenu, un fragment musical noté dans le *Musica Enchiriadis* d'un nommé Hucbald, moine de Saint-Amand (840-930) ; c'est une courte invocation à deux voix « *Rex cœli, Domine maris...* » dans laquelle la mélodie portant le texte est à la partie inférieure, l'autre partie s'éloignant de la première pour se maintenir à la quarte supérieure, puis revenant pour conclure à l'unisson. Ce système s'appelle l'*organum* [1]. Pendant un siècle il se perfectionna et l'on découvrit un principe qui est à l'origine du contrepoint moderne : celui du mouvement contraire. Les parties ne sont plus parallèles et lorsqu'une monte, l'autre doit descendre : c'est ce qu'on appelle le *déchant*. Les théoriciens s'appliquent à établir les règles de ce mouvement des parties l'une par rapport à l'autre, et bientôt la partie supérieure (que l'on appellera longtemps encore *discantus*) entourera de souples et gracieuses arabesques le thème plain-chantesque, qui supporte les paroles à la manière des lettres ornées dans les manuscrits du temps ; c'est ce qu'on a appelé parfois l'organum à vocalises dont l'abbaye Saint-Martial de Limoges s'était fait, vers l'an 1000 une vraie spécialité. Le considérable travail réalisé au XIe siècle dans ce monastère lui valut d'être baptisé par Jacques Chailley « Conservatoire de la musique médiévale ».

Bientôt une troisième puis une quatrième voix vont s'ad-

---

1. L'Angleterre utilisait un système spécial d'organum, le *gymel*, où les parties se suivaient à la tierce et non à la quarte.

joindre aux deux premières et, dans un ouvrage qui date de la fin du XIIᵉ siècle, Giraldus Cambrensis, vantant le mérite des chanteurs du Pays de Galles, affirme « qu'on pouvait entendre autant de mélodies que l'on voyait de personnes ». Les perfectionnements successifs donnent naissance au *conduit*, où le compositeur abandonne les thèmes du plainchant pour des thèmes originaux, puis au *Motet*, où chacune des voix fait entendre une mélodie et même des paroles qui lui sont propres.

L'École de Notre-Dame

Le nouvel art polyphonique trouve son apogée à la fin du XIIᵉ siècle avec Léonin et au début du XIIIᵉ avec Pérotin-le-Grand : ce sont les deux premiers grands noms de l'histoire de la musique. Nous connaissons très peu de choses de Léonin, qui attirait l'attention de l'Europe musicale sur l'église de la Bienheureuse Vierge Marie (qui par l'initiative de l'évêque Maurice de Sully deviendra bientôt la cathédrale Notre-Dame de Paris). Par contre l'œuvre de son successeur Pérotin, témoin de l'achèvement de Notre-Dame, nous révèle un prodigieux musicien dont certaines œuvres (comme le grand *Viderunt omnes* à quatre parties) font aujourd'hui encore une impression bouleversante. Autour de Léonin et Pérotin durent graviter de nombreux élèves anonymes, dont on a trouvé quelques œuvres et que l'on désigne sous l'appellation générale d'« École de Notre-Dame ».

On ne connaît pas les noms des successeurs de Pérotin jusqu'à la fin du XIIIᵉ siècle. Cependant le siècle de saint Louis, celui de saint Thomas d'Aquin, de Rutebœuf, du *Roman de la Rose* et des grandes cathédrales gothiques, siècle d'or pour toutes les branches des activités humaines, l'est aussi pour la musique. Plusieurs manuscrits précieux (à Bamberg, à Montpellier et à la Bibliothèque Nationale) nous révèlent d'admirables compositions anonymes qui suffiraient à rendre célèbres les noms de plusieurs compositeurs : ces œuvres se distinguent des grands *organa* de Pérotin [1]

---

1. Le terme d'*organum* reste encore en usage, après l'apparition de la méthode du déchant, pour désigner les pièces polyphoniques antérieures au motet. On les appelle aussi *tripla* ou *quadrupla* lorsqu'elles sont écrites à trois ou quatre parties.

par une plus grande douceur, un sentiment plus humain, une plus grande souplesse des lignes, toutes caractéristiques qui distinguent bien le temps de saint Louis de celui de Philippe-Auguste.

A ce siècle de l'excellence appartient une belle pièce polyphonique anglaise, célèbre non seulement pour sa beauté mais encore pour l'exceptionnelle aisance de son écriture. Ce chef-d'œuvre unique en son genre est un des trop rares témoignages de l'habileté des musiciens anglais du temps : ce pays qui nous a transmis tant d'ouvrages théoriques précieux prouvant que l'Angleterre était aux côtés de la France (et même parfois en avance) dans le progrès musical, est malheureusement pauvre en documents musicaux antérieurs à la fin du XIVe siècle.

C'est un double canon (!) à six voix intitulé *Summer is i-cumen in,* ayant l'aspect d'une chanson populaire sur un rythme de trochée :

Adam de la Halle

Il n'est qu'une grande exception à cet anonymat que les bons ouvriers de la musique, comme ceux des cathédrales, laissaient humblement planer sur leurs plus précieux chefs-d'œuvre : celle d'Adam de la Halle (vers 1240-1287), le plus fameux des trouvères. Son œuvre la plus célèbre est le *Jeu de Robin et Marion* (Bibl. Nat. : ms. fr. 25566), sorte de pastorale dramatique en musique que l'on a qualifiée à tort de « premier opéra-comique français ». Cette œuvre, sans équivalent à l'époque, comporte un certain nombre de chansons du genre *virelai* ou *pastourelles*, dont cinq seulement sont complètes dans le manuscrit de la Bibliothèque Nationale ; sans crier au génie, nul ne sera insensible au tour aimable et gracieux de ces mélodies qui nous content fort naïvement de moins naïves passions. L'originalité d'Adam de la Halle est surtout de s'être montré ici aussi habile poète que musicien. Mais son chef-d'œuvre est certainement le recueil des seize *rondeaux* à trois voix où, pour la première fois, le rondeau populaire, jusque-là monodique, revêt la forme polyphonique.

A la fin du XIIIe siècle, après la mort de saint Louis, apparaît une tendance générale nouvelle qui affecte la musique et en particulier celle d'Adam de la Halle : un parti pris anti-idéaliste, une sorte de non-conformisme, réaction normale d'un peuple que le grand roi avait su maintenir assez longtemps à des hauteurs morales proches de la sainteté.

De ce non-conformisme naîtra au début du siècle suivant l'*Ars Nova*.

DISCOGRAPHIE

Anthologie grégorienne — Chœur des Moines de Solesmes (Dec).

Messe de Noël (chant grégorien) — Abbaye Saint-Martin de Beuron (Arc).

Semaine de la Pentecôte — Chœur des Moniales de N.-D. d'Argentan (Dec).

École de Notre-Dame (Léonin, Pérotin, etc.) — Capella Antiqua de Munich (2 × Tel).

PÉROTIN LE GRAND fin XIIᵉ
Organa et Conduits — Collegium Aureum et Deller Consort (HM).

ADAM DE LA HALLE vers 1240-1287
Jeu de Robin et Marion . Treize Rondeaux — « Pro Musica Antiqua », dir. S. Cape (Arc).

BERNARD DE VENTADOUR
Chansons d'amour — Studio der Frühen Musik (VsM).

Cantigas d'Alphonse X le Sage . Chansons de Troubadours — J.-L. Ochoa et L.-J. Rondeleux (HM).

Anthologie de la musique médiévale espagnole — Chœurs de religieux et religieuses et ensemble divers (5 × Era).

Carmina Burana (XIIᵉ siècle) — Studio der Frühen Musik (2 × Tel).

Minnesang und Spruchdichtung (XIIIᵉ siècle) — Studio der Frühen Musik (Tel).

Chansons de troubadours — Studio der Frühen Musik (Tel).

Musique au temps des Croisades — Ensemble Malgoire (CBS).

Anges aux trompettes,
détail de la Tapisserie de l'Apocalypse.
(Angers, fin du XIVᵉ s.)

XIVe et XVe siècles

Dates	Musique	Arts et Lettres	Histoire
1291-1361	Philippe de Vitry		
1300-1377	Guillaume de Machaut		
1304-1374		*La Divine Comédie* Pétrarque	
1314-1316			Louis X
1316-1328			Philippe V
1325-1397	Fr. Landini		
1328-1350			Philippe VI
1337		Mort de Giotto	
v. 1364	*Messe* de Machaut		
1364-1380			Charles V
1370		La Bastille	
1380-1422			Charles VI
1387-1455		Fra Angelico	
v. 1400-1474	Dufay		
1411-1480		Fouquet	
1412		Palais des Doges	
1415			Azincourt
1429			Jeanne d'Arc délivre Orléans
1430-1496	Okeghem		
1432		Naissance de Villon	
1444-1510		Botticelli	
1445?-1521	Josquin des Prés		
1452-1519		Léonard de Vinci	
1461-1483			Louis XI
1471		Naissance de Dürer	
1475		Naissance de Michel-Ange	
1483		Naissance de Raphaël	
1483-1498			Charles VIII
1496		Naissance de Marot	

Charivari du Roman de Fauvel.
(Bibliothèque Nationale, XIVᵉ s.)

L'Ars Nova

Le siècle de la Guerre de Cent Ans est, pour la musique, celui de l'*Ars Nova*, l'art résolument moderne et nouveau dont se sont enflammés les esprits de la génération qui suivit Adam de la Halle [1].

Après la mort du plus grand des trouvères, la musique fut l'objet de profondes modifications, et tout d'abord dans l'esprit même des œuvres. A l'idéalisme ingénu du temps de saint Louis succède, sous Philippe le Bel un réalisme brutal et, comme il a été dit un peu plus haut, une tendance au « non-conformisme ». Sur le plan technique, le perfectionnement des pièces à trois et quatre parties nécessita des améliorations dans l'écriture, lesquelles, à leur tour, favorisèrent de nouveaux perfectionnements du langage musical. En particulier, le désir s'est fait sentir de s'évader des formules rythmiques stéréotypées. Pour cela il fallait noter non seulement la hauteur des sons, mais leur durée relative : en modifiant à cet effet les signes de la notation carrée, on donna naissance à la *notation proportionnelle* d'où procède directement notre notation moderne.

---

1. Que nous ayons conservé l'usage du terme par lequel les compositeurs du XIVᵉ siècle désignaient leur propre musique, c'est parfait ; mais ne faisons pas nôtre la lourde bêtise qui consistait à qualifier d'*Ars Antiqua* la musique antérieure à *l'Ars Nova*.

D'autre part, le système *modal*, parfaitement adapté à la musique monodique, s'avérait incommode dans la composition des pièces polyphoniques complexes : c'est alors que, selon l'expression consacrée, la *tonalité* se substitue à la *modalité**, ou, plus exactement, que l'on assiste au triomphe du mode d'*ut* qui sera promu *mode majeur*. Cette évolution ne se produisit pas sans mal et il faut en chercher l'origine dans les siècles précédents. La crainte du fameux *diabolus in musica (fa-si)* jointe au désir, dans la polyphonie primitive, de rendre la partie d'*organum* identique à l'original, avait conduit les musiciens à hausser, dans cette partie, le *fa* d'un demi ton (*fa* dièse)[1]. Plus tard on sentit que la modulation (c'est-à-dire le passage d'un mode à l'autre) n'était possible qu'en haussant d'un demi-ton la septième note des tons ecclésiastiques, exception faite naturellement pour les modes d'*ut* et de *fa :* les musiciens découvraient l'attirance de la sensible* pour la tonique sur quoi repose l'harmonie tonale. Cependant, à la faveur de ces modifications, le *diabolus in musica* reparaissait ailleurs et il fallait recourir à de nouvelles altérations pour le chasser (en vain, comme il est facile de le comprendre). Ce « tripotage » artificiel ne se fit pas en une seule fois : au *si* bémol hérité du grégorien, le XIIIe siècle avait ajouté le *fa* dièse ; le XIVe pratiquera le *do* dièse, le *sol* dièse et, exceptionnellement, le *ré* dièse. Ce n'est vraiment qu'à la fin du XVe siècle que naîtra un système harmonique cohérent et conscient.

Au cours des XIVe et XVe siècles, deux éléments favoriseront la diffusion des idées musicales nouvelles : la Guerre de Cent Ans qui donne aux Anglais, fameux théoriciens, l'occasion de visiter le continent et, à la fin du XVe, les débuts de l'imprimerie musicale. En outre, l'instabilité politique conduisait parfois les princes à voyager et certains musiciens à les suivre, tandis que d'autres inauguraient le tourisme en Italie, attirés sans doute par le magnifique essor des arts au delà des Alpes.

Le porte-parole de l'Ars Nova fut Philippe de Vitry, évêque de Meaux (1291-1361). Dans un célèbre traité intitulé justement *Ars Nova* et datant sans doute des environs de 1320, il expose *a priori* les principes de la musique nouvelle : c'est ainsi qu'agissent le plus souvent les porte-parole, et,

---

1. Le résultat ainsi obtenu serait aujourd'hui un exemple de polytonalité : *ut* majeur superposé à *sol* majeur.

pour être encore plus dans la note, Philippe de Vitry semble avoir très peu composé ; du moins nous connaissons peu de chose de lui (dix motets froids, solennels et compliqués). Les principes sont ceux qui ont été exposés ci-dessus : émancipation du rythme, recherche de plus grande indépendance mélodique et rythmique des parties, nécessité de modifier les anciens « tons ecclésiastiques », volonté d'être moderne... Ces principes, exploités jusqu'à leurs plus extrêmes conséquences, ont entraîné les premières manifestations du style baroque en musique.

Le Roman de Fauvel

Le début de l'*Ars Nova* est marqué par un ouvrage très important contenu dans un somptueux manuscrit enluminé de la Bibliothèque Nationale (ms. fr. 146) : le *Roman de Fauvel*. Ce roman satirique de Gervais du Bus, composé entre 1310 et 1314, est enrichi de nombreuses compositions musicales anonymes (elles ont été insérées dans le roman en 1316 par un certain Chaillou du Pestain qui n'en est certainement pas l'auteur) ; on y trouve 24 double-motets, 10 motets à une voix avec accompagnement instrumental, 32 proses et lais, 14 rondeaux, ballades et chansons, 52 alleluias, répons, hymnes et versets. Certaines de ces compositions témoignent d'un art très évolué : double-motets très subtils, notion nouvelle de mélodie accompagnée, complexités rythmique et mélodique croissantes de certaines parties, etc.

Machaut et Landini

L'art nouveau fleurissait principalement en France et en Italie, et chacun des deux pays vit naître au moins un grand compositeur : Guillaume de Machaut et Francesco Landini.

Guillaume de Machaut (vers 1300-1377 ?) est sans doute le plus grand musicien de son temps. Le poète Eustache Deschamps lui décerne les épithètes de « flour des flours de toute mélodie », de « mondain dieu d'harmonie », de « noble rhétorique » et l'on s'aperçoit avec le recul historique que son génie sauva l'*Ars Nova*, art baroque s'il en fût, de la dégénérescence. Homme éclectique, aussi célèbre poète que musicien, Machaut a composé dans tous les genres connus de son temps : 23 motets, 42 ballades, des rondeaux, lais, virelais, chansons instrumentales, messe... Les principaux manuscrits de ses œuvres se trouvent à la Bibliothèque Nationale, certains d'entre eux, destinés sans doute à quelque grand seigneur, étant enrichis de belles enluminures. La véritable originalité de Machaut réside dans ses pièces profanes, celles qui, par ailleurs, ont gardé toute leur saveur pour le public de notre temps. Les ballades, rondeaux et virelais sont écrits pour deux, trois ou quatre parties distribuées entre les voix et les instruments ; des mélodies charmantes y épousent le sens des poèmes avec autant de raffinement et de perfection que des miniatures s'adaptant à une lettre ornée. Dans cette production, les *Ballades* qui, de toute évidence, avaient la préférence du maître, ont été l'occasion de soins exceptionnels : c'est là où le travail du miniaturiste est le plus complet, le plus subtil. Si la superposition de quatre parties très ornées risque d'amener la confusion, la composition est allégée par le procédé du « hoquet » qui consiste à décaler dans les différentes parties les notes et les silences, chaque voix s'arrêtant et reprenant tour à tour en alternance rapide. Dominant de sa masse imposante ces purs chefs-d'œuvre, la principale composition de Machaut est sa *Messe de Nostre-Dame*, la plus ancienne messe polyphonique complète que nous possédions. La tradition veut qu'elle ait été composée pour le sacre de Charles V, mais aucun document n'a jamais confirmé cette hypothèse qui ne repose même pas sur la vraisemblance. En effet le peu de temps écoulé entre la mort de Jean II et le sacre de Charles V aurait difficilement permis de composer une œuvre de cette importance, puis de la copier et de la faire apprendre aux musiciens. D'autre part Guillaume de Machaut qui, à l'époque du sacre, était chanoine à la cathédrale de Reims (une miniature du temps nous le montre assistant, dans le chœur, à la cérémonie) n'aurait pas manqué dans ses écrits de mentionner une audition aussi solennelle de sa messe, lui qui montra toujours une particulière satisfaction à traiter de ses propres œuvres. Quoi qu'il en soit, c'est une œuvre prodigieuse qui, si elle heurte parfois nos habitudes musicales, ne saurait laisser aucun auditeur indifférent. Cette musique vous saisit tout d'abord comme les rangées de piliers d'une cathédrale ; un peu plus tard on découvre la fine ornementation des chapiteaux...

Francesco Landini (v. 1325-1397), aveugle depuis son enfance, suscitait l'admiration de ses contemporains : il jouait à ravir de tous les instruments et passait pour être bon poète, philosophe et astrologue. Un historien du temps écrit qu' « à la stupéfaction générale, il maniait des instruments qu'il n'avait jamais vus. Comme s'il voyait, il commença à toucher de l'orgue avec une telle délicatesse et des doigts si agiles, tout en observant bien la mesure, qu'il surpassa tous les organistes... Bien plus, il jouait aussi de la lyre, de la guitare, du rebec, de la flûte et d'instruments de toute sorte. » L'on connaît environ cent cinquante œuvres de ce musicien et il est inconcevable que l'on ait oublié, en France du moins, jusqu'à son nom. Sa musique est plus souriante que celle de Machaut ; c'est un tendre, un rêveur, un élégiaque, dont la principale originalité est une merveilleuse invention mélodique ; dans ses meilleures compositions, c'est un grand inspiré, avec tout ce que cette

39

vertu comporte de souffle et de lyrisme, choses rares dans ce siècle de miniaturistes. Son œuvre se compose essentiellement de ballades et de madrigaux.

Landini prit figure de chef d'école et une pléiade de bons musiciens (Jacopo da Bologna, Giovanni da Cascia, Gherardello) contribuèrent à faire la brillante réputation de l'*Ars Nova* italienne. Les caractéristiques de cette école sont un goût de la virtuosité vocale et des variations brillantes, une grande subtilité du travail polyphonique et, surtout, la création de genres nouveaux : la *caccia* (composition pittoresque dans une forme que l'on appellera plus tard le *canon*), et le *madrigal* dont on connaît la carrière en Italie jusqu'au XVIIᵉ siècle.

Les autres pays, s'ils se tinrent à l'écart du mouvement de l'*Ars Nova* et n'eurent pas de véritables chefs d'école, n'en manifestèrent pas moins une activité musicale digne d'intérêt. L'Espagne et l'Allemagne, en particulier, donnèrent le jour à quelques polyphonistes de talent dans le courant du XIVᵉ siècle, mais leurs œuvres accusent un retard d'un siècle sur celles des musiciens français, anglais et italiens.

1415...

La bataille d'Azincourt (1415) peut être considérée comme une date importante de l'histoire de la musique. En effet, les Anglais ayant pris possession de presque toutes les provinces maritimes de la France, les échanges culturels entre les Iles Britanniques et le reste de l'Europe s'en trouvèrent facilités. L'anglais Dunstable, entre autres, l'un des plus grands musiciens du XVᵉ siècle, dut voyager assez souvent sur le continent, car on a découvert quelques-uns de ses manuscrits à Modène, à Bologne, à Rome, à Dijon. Or, tandis que les Français et les Italiens sortaient frappés de stérilité d'une crise de croissance particulièrement agitée, les Anglais, eux, avaient subi une évolution musicale régulière et normale depuis les débuts d'un art polyphonique dans leur pays. L'Angleterre, fortement imprégnée de l'art de Pérotin, est restée presque indifférente aux réformes de l'*Ars Nova*, ne cessant par contre de perfectionner et d'enrichir les acquisitions antérieures. Et, de même que le style dit « flamboyant » en architecture n'est autre que le style gothique français du XIIIᵉ siècle, réimporté chez nous

Manuscrit du Saint-Esprit.
(Hôpital de Dijon, XVᵉ s.)

après avoir évolué en Angleterre, de même la musique des grands polyphonistes du XVᵉ siècle n'est autre que la musique d'avant l'*Ars Nova*, considérablement perfectionnée sur le sol britannique. L'occupant anglais nous rendait intacte (ou presque) une tradition musicale que nous avions perdue par nos extravagances, et ceci au moment où l'ésotérisme des musiciens de l'*Ars Nova*, qui se voulaient modernes à tout prix, se soldait par un échec.

Dunstable

Le principal artisan de cette salutaire évolution semble être John Dunstable (vers 1370-1453), le plus grand musicien anglais de son temps. Il suivit en France le duc de Bedford, au service duquel il était attaché, et il est vraisemblable que son influence fut grande sur l'art des musiciens franco-flamands. Son génie mélodique, son sens inné de la suavité harmonique sont des qualités fort neuves dans des pays habitués aux savantes constructions sonores de l'*Ars Nova* qui parlent plus à l'esprit qu'au cœur et aux sens. De plus, la musique de Dunstable contribua à donner chez nous aux tierces et aux sixtes la qualité de consonances. Une curieuse particularité des traditions musicales anglaises consiste en effet à reconnaître cette qualité consonante de la tierce et de la sixte (qualité sensible aujourd'hui à beaucoup d'enfants qui, depuis le petit Mozart, trouvent d'instinct les tierces sur le piano) ; tandis que sur le continent, jusqu'au début du XIIIᵉ siècle, les musiciens évitaient généralement les successions de tierces et nous infligeaient ces quartes et quintes parallèles, proscrites par l'harmonie classique et d'ailleurs si pénibles aux oreilles d'aujourd'hui, le *gymel* anglais (contemporain de notre organum) procédait de préférence par tierces ou sixtes parallèles [1]. Quelle chose étrange que le goût musical ! Il suffit que le Pas-de-Calais

---

1. Un traité du milieu du XVᵉ siècle, *De preceptis artis musicæ* de Guilelmus Monachus, donne toutes les règles connues en Angleterre pour l'emploi du *Gymel* et du *Faux-Bourdon :* on y enseigne l'utilisation d'un contrepoint orné régi par des règles précises (évitant la cacophonie dans laquelle on tombait lorsqu'on cherchait à varier les parties). Ces indications, jointes à la conscience harmonique dont fait preuve Guilelmus, lorsqu'il suggère de compléter l'harmonie avec un *contratenor bassus*, font de lui un précurseur du système musical moderne.

sépare deux peuples pour que l'un appelle dissonance ce que l'autre appelle consonance et vice versa... Toujours est-il que Dunstable est le premier musicien dont l'art semble immédiatement familier aux oreilles d'aujourd'hui. On est loin de connaître toute son œuvre, mais ce que l'on en connaît (quarante-cinq pièces environ nous sont parvenues) suffit à nous faire admirer la sûreté de son écriture polyphonique, son sens harmonique (notion nouvelle pour l'époque) et la merveilleuse souplesse de ses lignes mélodiques, enrichies de ravissantes arabesques. A ce titre, le célèbre motet à trois voix *Veni Sancte Spiritus* est un chef-d'œuvre accompli.

Dufay et Binchois

Dufay et Binchois

On ignore si Dufay et Binchois, considérés comme les chefs de l'école « franco-flamande », connurent personnellement Dunstable : peut-être Dufay le rencontra-t-il à Rome. Cependant un poème de Martin Le Franc, le *Champion des Dames* (vers 1440), explique que la supériorité de ces deux musiciens sur leurs prédécesseurs provient de ce qu'ils ont adopté les méthodes de l'école anglaise, et spécialement de Dunstable. D'ailleurs les principaux foyers musicaux seront, pendant un siècle, les pays dépendant directement de l'Angleterre ou attachés à celle-ci par des liens de sympathie : les territoires du duc de Bourgogne (dont la capitale, Dijon, était comparable en faste artistique à la capitale du Royaume) et les pays flamands dépendant également de Philippe le Bon. De Flandre, l'activité musicale s'étendra ensuite aux Pays-Bas et aux pays germaniques.

Le plus éminent musicien de la Cour de Bourgogne fut Gilles Binchois (v. 1400-1460). Son art est brillant, mondain, même dans sa musique religieuse et en général un peu artificiel, mais il est éminemment séduisant. Son véritable domaine est celui de la chanson française qu'il a portée à un rare degré de perfection. Ce genre, et particulièrement la chanson d'amour, connaît à la Cour de Bourgogne un succès exceptionnel, qui gagne la chanson populaire laquelle, à son tour, inspire la chanson savante. C'est de cette époque que date la célèbre chanson anonyme *l'Amour de moy*, merveille du genre :

L'a_mour de moy s'y est en _ clo _ _ _ _ se __

Dans la plaine de Flandre on est infiniment plus sérieux : la messe et le grand motet polyphonique connaissent là un âge d'or avec Dufay, puis avec Okeghem et Josquin. Guillaume Dufay (v. 1400-1474) est le plus grand musicien qui ait existé depuis les origines de l'histoire de la musique et l'un des plus grands musiciens de tous les temps. Loyset Compère le qualifie de « *luna totius musicæ* ». Dans les grandes œuvres religieuses de Dufay apparaît pour la première fois le principe du « thème donné » (ou *cantus firmus*) : il s'agit d'une mélodie appartenant soit au chant liturgique (mélodies grégoriennes plus ou moins paraphrasées) soit à la chanson profane, mélodie chantée par la partie de ténor et servant de fil conducteur à toute l'œuvre. Ce principe confère à l'ensemble des morceaux de la messe une impressionnante unité. La science de Dufay est la somme de celle des Anglais et de celle des Italiens. Mais rien dans ses œuvres n'est gratuit : tout concourt à exprimer une intense dévotion mystique qui se communique à l'auditeur le plus indifférent. Ses grandes messes *(Se la face ay pale, l'Homme armé, Caput, Ecce ancilla Domini, Ave Regina cœlorum)* [1] ont peut-être

_____

1. Les messes empruntent leur titre aux paroles du *cantus firmus* (ou « té-

trouvé leurs égales dans le genre (avec Josquin puis avec Victoria) mais elles n'ont certainement jamais été dépassées ni au XVe ni au XVIe siècle. Le XVIIe siècle signera hélas l'arrêt de mort de cette étonnante forme de composition polyphonique. Dans ses motets, dont il nous est parvenu un grand nombre, dans ses œuvres profanes (ballades, rondeaux, virelais, etc...), Dufay se révèle un musicien complet, parfaitement maître de tous les genres. Il voyagea beaucoup avant de se retirer définitivement à Cambrai, entouré de la plus haute considération, et l'on affirme qu'au cours de ses déplacements il apprit beaucoup et enseigna autant.

A la suite de Dufay, une pléiade de grands musiciens, dont la seule énumération occuperait plusieurs pages, font des terres flamandes un exceptionnel foyer artistique où se créent les dignes répliques musicales des œuvres géniales d'un Van Eyck. Le parallèle entre musique et peinture est d'ailleurs ici assez frappant : origines à la même époque de candide spiritualité, qui vit l'achèvement de Notre-Dame de Paris ; même souci d'enluminure et de perfection dans le détail, joint à ce sens de l'unité qui est le don de la foi ; même solidité de construction, même pureté des matériaux utilisés.

Okeghem, Obrecht, Isaak

De Dufay à son plus illustre successeur, Johannes Okeghem, le langage musical s'est encore perfectionné, et les règles de l'écriture polyphonique ont atteint à une perfection suffisante pour permettre d'augmenter autant qu'on veut le nombre des parties, chacune d'elles gardant sa liberté d'allure tout en s'intégrant merveilleusement à l'ensemble. La science musicale d'Okeghem lui valut de son vivant une grande célébrité, malgré une vie sédentaire (quarante-trois années consécutives passées au service de Charles VII, Louis XI, Charles VIII) ; on ne doit pas pour autant considérer ce musicien, ainsi qu'on l'a fait parfois, comme un mathématicien, un savant ordonnateur de sons. Son art

---

nor », ou « teneur »), chanson profane ou chant liturgique. Certaines chansons à la mode se retrouvaient inévitablement dans la production de la plupart des compositeurs (Dufay, Okeghem, Josquin, Busnois, Pipelare et bien d'autres ont écrit chacun une messe *l'Homme armé* : on en compte une quarantaine).

est animé d'un souffle noble et puissant et, s'il ne provoque pas comme celui de Dufay une immédiate émotion, il force toujours l'admiration. Okeghem n'est pas à l'aise dans le genre charmant de la chanson. Le meilleur de lui-même se trouve dans ses grands motets et surtout dans ses messes : *l'Homme armé, Mymy quarti toni, Sine nomine, De plus en plus* (où le ténor est pris à une chanson de son ami Binchois), etc. Ses contemporains le vénèrent : Érasme dédie à « *Joanni Okego, musico summo* » une pièce en vers latins où est exaltée l' « *aurea vox Okegi* », et la *Déploration de Guillaume Cretin sur le trépas de Jean Okeghem* consacre plus de quatre cents vers au panégyrique du musicien. Le rayonnement d'Okeghem sur les compositeurs de son temps fut immense et il eut de nombreux élèves. Dans cette deuxième moitié du XVe siècle, époque d'extrême conscience et de lucidité musicale, les maîtres peuvent enfin enseigner efficacement, c'est-à-dire transmettre à leurs disciples autre chose que l'ensemble des « trucs » empiriques connus pour écrire de la musique à plusieurs parties ; ils pouvaient enseigner sur des bases solides l'art de la « composition », l'art d'exprimer dans une langue musicale parfaitement cohérente tous les sentiments humains.

On ignore les noms de la plupart des élèves d'Okeghem, mais il est évident que ses trois plus grands successeurs, Obrecht, Isaak et Josquin des Prés subirent profondément son influence, transmettant son message, le premier aux Pays-Bas, le second en Allemagne et le troisième en France et en Italie.

Jakob Obrecht (1452-1505) passe pour avoir été le maître de musique d'Érasme. Il introduisit dans sa musique des éléments de variété, de douceur et de suavité qui manquaient chez Okeghem. Il utilisa le procédé d'imitation, d'où dérivent le canon et la fugue, sous ses diverses formes, y compris par mouvement contraire ou par augmentation et diminution, d'une manière qui annonce les musiciens de la Renaissance. Ses merveilleux motets à la Vierge, ses messes (*Caput, Ave Regina* et surtout *Maria zart*) sont débordants de vie et sonnent d'une manière étonnamment nouvelle, « moderne » pour l'époque.

Henrik Isaak (1450-1517), artiste cosmopolite par excellence, est sans doute d'origine flamande mais semble avoir été définitivement adopté par l'Allemagne. De son vivant, on l'appelait en Italie « *Arrigo tedesco* » (Henri l'Allemand). Comme

Okeghem et ses chanteurs
(Bibliothèque Nationale.)

Okeghem, il semble avoir beaucoup enseigné : il passe pour avoir eu des élèves à Rome, à Florence, à Vienne, à Constance, le plus célèbre d'entre eux étant Senfl, l'un des premiers grands maîtres allemands. Son art réunit les qualités de ceux d'Okeghem et d'Obrecht et l'on s'étonne qu'un si grand musicien, dont l'œuvre nombreuse est suffisamment diverse pour satisfaire tous les goûts, soit aussi mal connu de nos jours.

« Le Prince de la Musique »

Le génial aboutissement, sur le plan musical, de cette longue série d'époques dissemblables qu'il est convenu de grouper sous la dénomination de « Moyen Age » est Josquin des Prés (1445 ?-1521)... Ou plutôt il est la preuve vivante qu'il n'y a guère de frontière entre ce Moyen âge et la Renaissance et il est devenu un lieu commun de dire que Josquin est le point de jonction entre les deux époques. Il est seulement certain que Josquin a porté l'art hérité de l'« École de Notre-Dame » à son plus haut point de perfection : les grands musiciens du XVIe n'eurent qu'à suivre son exemple et, sans vouloir diminuer leur génie, on doit admettre qu'ils ne sont pas allés beaucoup plus loin. Son œuvre énorme (52 motets, 32 messes, 80 chansons) ne comporte à peu près pas de faiblesses, et des œuvres comme la Messe *Hercules dux Ferrariæ*, la première Messe *l'Homme Armé* (il y en a deux), la Messe *Pange Lingua*, le *Miserere* comptent parmi les grands moments de toute l'histoire de la musique.

On a souvent considéré Josquin comme le premier musicien « moderne », entendant par là que ses élèves et les élèves de ses élèves nous ont menés insensiblement, sans transformation profonde du langage musical, jusqu'à l'ère de Jean-Sébastien Bach. Jamais la science de l'écriture polyphonique, de l'écriture « horizontale » comme on dit aujourd'hui, n'avait été portée à un plus haut degré de virtuosité; en même temps on s'aperçoit que Josquin était doué d'un sens harmonique aigu, notion essentiellement « moderne ». Celui que l'on appelait le « Prince de la Musique » justifie ce que disait de lui Luther : « Les musiciens font ce qu'ils peuvent des notes, mais Josquin en fait ce qu'il veut. »

Les prédécesseurs, les contemporains et les élèves de Josquin ont donné à la musique un prodigieux essor non seulement en France, dans la plaine flamande et aux Pays-Bas (où l'art de Dufay et de Josquin trouve, à travers Willaert, des échos jusqu'au XVIIᵉ siècle avec Sweelinck), mais aussi en Angleterre, en Allemagne, en Espagne et enfin en Italie, où la folie passagère des *moderni* semblait d'abord avoir tari la veine musicale. Le nombre des musiciens de vraiment grand talent est impressionnant. Que l'on relise seulement la préface du *Quart livre de Pantagruel* où Rabelais se félicite d'« avoir ouy jadis en un beau parterre, Josquin des Prez, Olkegen, Obrethz, Agricola, Brumel, Camelin, Vigoris, de la Rue, Midy, Mouton, Loyset Compère, Fevin...» (et bien d'autres), « chantans mélodieusement... » Et beaucoup de ces musiciens, qui contribuèrent à faire du XVᵉ siècle un des plus grands siècles musicaux, mériteraient d'être mieux connus, car leur talent est bien voisin de celui des trois ou quatre musiciens de génie qui dominent leur temps. Cette heureuse répartition du talent est le fait d'un siècle d'humanistes qui travaillent pour l'avenir sans rompre avec le passé, d'un siècle d'art collectif où chacun bénéficie du génie de quelques-uns, d'un siècle de bons artisans où tout métier s'apprend à la sueur de son front [1].

---

1. On ne peut faire mention, aux XIVᵉ et XVᵉ siècles, d'une musique proprement instrumentale. La plus grande imprécision régnait quant à l'interprétation de la musique. Une œuvre polyphonique pouvait être éventuellement interprétée à l'orgue, ou encore certaines parties pouvaient être chantées et d'autres jouées sur des instruments. C'est ainsi que se répandit l'usage de jouer la « teneur » des motets sur des instruments. Seule la musique de danse (genre mineur) était exclusivement instrumentale.

Chœur liturgique
(Mystère de la Passion. Bibliothèque Nationale)

DISCOGRAPHIE

MACHAUT vers 1300-1377
Messe de Nostre-Dame et 5 Motets — Capella Antiqua Munich (Tel).
Ballades et Virelais — Studio der Frühen Musik (VsM).
Motets, Ballades, Virelais — Ensemble Machaut (3 × Adès).

DUFAY vers 1400-1474
Messe **Se la face ay pale** . **Deux hymnes** — Ensemble Collegium
Aureum (HM).
Missa sine nomine — Ensemble Caillard (Erato).
Chansons (neuf) et **Motets** (deux) — Ambrosian Singers (Dov).

OKEGHEM vers 1430-1495.
Messe mi–mi — Ensemble Leipzig, dir. Knothe (Arc).
et OBRECHT, Messe **Sub tuum praesidium.**
Requiem — Madrigalistes de Prague, dir. Venhoda (Val).
Motets (six) — Madrigalistes de Prague, dir. Venhoda (Val).

JOSQUIN DES PRÉS 1445 ?-1521
Messe **De beata Vergine** — Ensemble Blanchard (DF).
Messe **Pange lingua** . **Miserere** — Ensemble Caillard (Erato).
Motets à la Vierge — Chœurs Monteverdi de Hambourg, dir. Jürgens
(Arc).
Messe « la–sol–fa–ré–mi » — **Motets, chansons** — Capella Antiqua de
Munich (Phi).

ISAAK vers 1450-1517
Messe **In Dominica laetare** — Chœurs d'Aix-la-Chapelle, dir. Rehmann
(Arc).

Estampies . Basses-danses . Pavanes — Ensemble Ricercare de Zürich
(HM).

El Cancionero (musique espagnole du XVe siècle) — Ensemble Ravier (Val).

Madrigaux . Chasses (œuvres de Landini, Jacopo da Bologna, Gherardello,
Dufay, etc.) — Pro Musica Antiqua, dir. S. Cape (Arc).

Chansons andalouses du Moyen Age et de la Renaissance — V. de Los
Angeles et Ars Musicae (VsM).

Ballades . Rondeaux . Virelais — Ensemble Ricercare de Zürich (HM).

Le Roman de Fauvel — Studio der Frühen Musik (VsM).

Capanna Puccio, détail d'une fresque d'Assise.

Dates	Musique	Arts et Lettres	Histoire
1515	*La guerre* de Jane-quin		Bataille de Marignan
1517			Luther prêche la Réforme
1515-1547			François Ier
1520-1586	A. Gabrieli		
1521	Mort de Josquin des Prés		
		Châteaux de la Loire	
1524-1585		Ronsard	
1525-1569		Brueghel le Vieux	
1525-1594	Palestrina		
v. 1528-1600	Claude Le Jeune		
1532-1594	Roland de Lassus		
1533-1592		Montaigne	
1543-1623	William Byrd		
1545-1563			Concile de Trente
1547-1559			Henri II
1547-1614		Le Greco	
1553		Mort de Rabelais	
1557-1612	G. Gabrieli		
1557-1602	Morley		
1558-1603			Elizabeth Ire d'Angleterre
1559-1560			François II
1560-1574			Charles IX
1564-1616		Shakespeare	
1567	Naissance de Monteverdi		
1572			La Saint-Barthélemy
1574-1589			Henri III
1577		Naissance de Rubens	
1585	Naissance de Schütz		
1589-1610			Henri IV
1596		Naissance de Descartes	

C'est à ce moment de l'histoire de la musique que l'on entre dans la « Renaissance »... Il n'est pas dans le propos de ce livre de discuter des changements que les hommes, au XVIe siècle, s'avisèrent d'apporter à leur manière de penser. Mais si l'on s'en tient au domaine musical, on se demande, au juste, ce qui « renait »... Une chose renait de toute évidence, c'est l'intérêt du public actuel pour la musique « ancienne », aussitôt que dans un survol chronologique comme celui-ci, on passe d'un Moyen Age que l'on qualifie habituellement de ténébreux ou d'obscur, à une Renaissance que l'on considère comme le début des temps modernes.

En fait il n'y a pas de scission : le langage musical que Janequin transmet à ses successeurs est bien le même, dans l'essentiel, que celui de Josquin, hérité de Dufay et d'Okeghem. Le XVIe siècle est le prolongement du XVe siècle ; on y perfectionne, on y systématise les notions acquises, tandis que se forment plusieurs genres nouveaux où achèvera de se révéler un art en pleine maturité. Mais le foyer principal de création musicale passe de Flandre en Italie. Attirés par le prestige de la civilisation transalpine, les musiciens franco-flamands multiplièrent les voyages dans la péninsule ; beaucoup s'y établirent. C'est ainsi que le flamand Adrian Willaert, héritier spirituel de Josquin des Prés et musicien de très grand talent, s'installa à Venise en 1527 comme maître de chapelle de l'église Saint-Marc. Il y fut peut-être l'un des créateurs du nouveau madrigal et certainement celui du *ricercare* (ancêtre direct de la fugue) ; il fut aussi à Saint-Marc l'initiateur du chant à double chœur [1]. Willaert peut être considéré comme le fondateur de l'école vénitienne. Il est le chaînon central d'une étonnante succession de maîtres et d'élèves qui relient le Moyen Age à l'Age classique :

... OKEGHEM maître de JOSQUIN maître de J. MOUTON maître de WILLAERT maître de A. GABRIELI maître de G. GABRIELI maître de SCHUTZ...

L'Italie, cependant, si elle brille d'un éclat exceptionnel, n'est pas le centre musical unique. Dans toute l'Europe, la musique connaît une faveur accrue et le XVIe siècle voit le début des écoles nationales : la France avec la « chanson française », l'Angleterre avec les premiers de ses célèbres madrigalistes et virginalistes, l'Allemagne avec le choral et le *lied*, l'Espagne, la Pologne, etc... Les premiers à encourager la création musicale sont les souverains et les grands seigneurs : les Cours royales et princières commencent ainsi à jouer dans la vie musicale un rôle qu'elles n'abandonneront qu'au début du XIXe siècle. Car François Ier inaugure ce qu'on appelle la « vie de cour ». Les grands seigneurs abandonnent leurs forteresses féodales et se font construire de riantes résidences à l'image des demeures royales : si le Roi fait venir des artistes italiens à Fontainebleau, chaque grand seigneur voudra en faire autant. Salutaire émulation qui, en se communiquant à la foule des courtisans et, de là, au plus modeste des citoyens, engendrera un grand mouvement d'« amateurisme » au meilleur sens du mot : la pratique du chant ou d'un instrument était devenue chose courante pour qui se prétendait tant soit peu cultivé, et Luther ne considérait pas comme un bon instituteur celui qui ne savait pas chanter. La multiplication rapide des amateurs interprètes hâta considérablement une évolution dont découle toute la musique moderne : celle qui mène de la polyphonie à la monodie accompagnée et de l'âge du contrepoint à l'âge de l'harmonie.

Lorsque quatre amis se réunissaient autour d'une table pour chanter une œuvre polyphonique, il était fatal que chacun d'eux se crût un « soliste » que les autres « accompagnaient ». Dans les cas où cette amicale collaboration s'avérait impossible, l'amateur désireux de se jouer à lui-même une

---

1. Cette pratique était favorisée par la disposition particulière de l'église Saint-Marc qui possède deux orgues se faisant face avec chacun sa tribune.

œuvre à quatre ou cinq parties chantait l'une d'elle et jouait les autres sur le luth ou sur tout instrument de son goût (de nombreux madrigaux ou chansons françaises furent même arrangés par le compositeur lui-même pour une voix avec accompagnement instrumental). Peu à peu on prit l'habitude de la prédominance d'une partie dans les œuvres polyphoniques, cette primauté étant au préjudice de la dignité des autres parties qui se trouvaient réduites à jouer un rôle de soutien. Le sens harmonique naquit de ces pratiques : non seulement l'accompagnement, en se schématisant, tendait à se limiter à une série d'accords, mais aussi les difficultés d'intonation, dans une musique qui était parfois très complexe, obligeaient l'amateur-interprète à en considérer un certain aspect vertical [1] et instantané.

Cependant, la musique polyphonique traditionnelle ne perd pas encore ses droits. La « Chanson française », en particulier, rayonne sur toute l'Europe occidentale. Ce genre, auquel les musiciens du siècle précédent avaient donné sa forme presque définitive, est porté à son plus haut degré de perfection par Clément Janequin (ami de Ronsard, orgueil musical de la ville d'Angers, sa biographie constitua longtemps un mystère total), puis par Claude Le Jeune (vers 1528-1600), Guillaume Costeley (1531-1606) et Roland de Lassus (1532-1594).

Janequin passa maître dans l'art dangereux de la musique descriptive : pas une faute de goût, pas une onomatopée ridicule ou qui prête à sourire ; même après plus de quatre siècles, ses étonnants tableaux vivants ne sont pas le moins du monde démodés. Et s'il peut se permettre de décrire en musique les choses les moins musicales sans friser l'absurde ni le vulgaire, c'est qu'il possède un sens de l'« effet », et du meilleur, que bien des symphonistes de la fin du siècle dernier pourraient lui envier. On a dit, je crois, qu'il était l'inventeur du poème symphonique, et c'est vrai : lorsqu'elles ne sont pas mutilées par les éditeurs, les vastes fresques sonores que sont *La Guerre* (ou *Bataille de Marignan*), *La Chasse au Cerf*, *Le Siège de Metz*, *L'Alouette*, *Le Caquet des femmes* ou *Les*

---

1. Lorsqu'un musicien parcourt des yeux une partition dans le sens vertical, il prend connaissance d'une tranche, d'un instant de musique, qui se caractérise par la superposition de plusieurs sons formant un accord (harmonie). S'il lit de gauche à droite, il se trouve en présence de plusieurs lignes mélodiques qui se côtoient ou se croisent avec d'autant plus de grâce que les règles du contrepoint ont été plus habilement mises en pratique.

Cris de Paris n'ont rien à envier aux plus imposantes compositions pour orchestre. *La Guerre* et *Le Siège de Metz* en particulier, qui sont peut-être les deux chefs-d'œuvre de Janequin, donnent à l'auditeur qui ne s'attache pas exclusivement à la quantité sonore l'impression de violence la plus grandiose, la plus effrayante qu'on puisse imaginer en musique.

(La guerre - Bataille de Marignan.)

Autour de Janequin, plusieurs musiciens de moindre envergure, si l'on considère l'ensemble de leur œuvre, ont, dans leurs meilleurs jours, atteint des sommets voisins. Ce sont : Nicolas Gombert (1480 ?-1552 ?), élève de Josquin, que le théoricien allemand Finck considérait comme le plus grand compositeur de motets du temps ; Claudin de Sermisy (vers 1490-1562) qui écrivit plus de cent cinquante chansons réparties dans les recueils d'Attaingnant, J. Moderne, etc., chansons remarquables par la virtuosité de l'écriture contrapuntique ; le curé Passereau (? - ?), remarquable compositeur qui, par l'oubli dans lequel il a sombré, jette un démenti à ceux qui croient que les chansons légères sont des valeurs sûres ; Jacques Clément (vers 1500 - vers 1556), auteur de motets, de psaumes sur des mélodies populaires flamandes et de chansons françaises, etc.

Dans la génération suivante, Claude Le Jeune (v. 1528-1600) est aussi grand et peut-être plus grand que Janequin et se permet des audaces qui pourraient lui mériter avant l'heure le titre de Monteverdi français. Pourquoi est-il tellement moins connu ? C'est un des mystères de la renommée... L'art de Le Jeune et de ses contemporains se distingue de celui de Janequin par trois caractères principaux : l'augmentation du nombre des voix, la perte d'importance du style d'imitation dans la chanson française et le goût du chromatisme. De plus, une manie nouvelle prend naissance à Paris : celle de la *musique mesurée à l'antique*. Antoine de Baïf, qui avait écrit des vers français rythmés selon les principes des vers grecs et latins, fonda à Paris en 1571 une « Académie de Musique et de Poésie » ayant pour objet de « renouveler l'ancienne façon de composer des vers mesurez, pour y accomoder le chant, pareillement mesuré selon l'art métrique ». Cette poétique bien artificielle donna cependant à Claude Le Jeune, Eustache du Caurroy, et Jacques Mauduit l'occasion d'écrire des pièces magnifiques, mais ils les écrivirent *malgré* la folle discipline qu'ils s'étaient imposée, et non pas *à cause* d'elle.

Contemporain de Claude Le Jeune, Roland de Lassus (vers 1532-1594), génie d'une puissance exceptionnelle comme Josquin, échappe à toute classification. Il nous a laissé plus de deux mille œuvres témoignant d'une inépuisable richesse d'invention. Il fut aussi divers dans sa production que cosmopolite dans son comportement : il passa sa vie à parcourir l'Europe, devenant une sorte de vedette internationale que l'on s'arrachait à prix d'or. Dans son œuvre se mêlent la plus forte gauloiserie et la plus délicate tendresse, le prosaïque et le mystique, la violence et la douceur (comme chez les peintres flamands du temps) ; on sent un homme exceptionnel qui est chez lui partout, aussi bien dans les tavernes qu'à la Cour des Princes. Il a traité tous les genres connus de son temps, mais le meilleur de sa production se trouve peut-être dans les chansons françaises auxquelles il

communiqua une vivacité, un humour et, en même temps, une nostalgie inimitables.

Le génie de Claude Le Jeune et de Roland de Lassus ne doit pas nous faire oublier d'autres grands compositeurs de chansons françaises, leurs contemporains, et surtout le normand Guillaume Costeley (1531-1606), cet étonnant musicien d'avant-garde, qui mériterait déjà la gloire pour la seule Chanson : *Je voy de glissantes eaux* et qui, non content de multiplier dans ses œuvres de suaves inflexions chromatiques, eut l'idée de composer en 1/3 de ton ; et l'auvergnat Anthoine de Bertrand (vers 1545- ?), autre ingénieux « moderne » qui sut tirer des dissonances le plus délicieux parti.

Un grand nombre d'œuvres des musiciens du XVIe siècle sont imprimées dans des recueils collectifs du temps, dont les plus fameux sont ceux d'Attaingnant (le premier imprimeur parisien qui se soit servi de caractères mobiles pour l'impression de la musique proportionnelle). Outre les motets, religieux ou profanes, et les chansons françaises, on trouve dans ces recueils des pièces d'un genre nouveau : les « Chansons au luth », et, plus tard, les « madrigaux ».

Le luth (voir illustration page 63), instrument d'accompagnement par excellence, utilisait un système simplifié de notation, consistant à représenter la position des doigts sur la touche de l'instrument (tablature). La relative facilité pour l'amateur de déchiffrer les tablatures entraîna une grande vogue des chansons accompagnées par cet instrument, aussi bien en France (« chansons au luth » et, plus tard « Airs de Cour ») qu'en Angleterre *(« Ayres »)*. Les œuvres étaient écrites à plusieurs parties comme les pièces polyphoniques et se distinguaient seulement des madrigaux, des motets ou des chansons françaises par le fait que la partie supérieure, caractérisée par la continuité de la ligne mélodique, était chantée, les autres parties étant exécutées sur l'instrument. En France, la plupart des compositeurs de chansons polyphoniques ont écrit des pièces de ce genre (tout particulièrement Clemens non Papa, J. B. Besard et Nicolas de la Grotte) ; en Angleterre, les plus admirables compositeurs d'*Ayres* furent Dowland, Morley et Rosseter. Mais à vrai dire la délimitation n'est pas très nette entre *ayres* ou chansons au luth d'une part, et chansons polyphoniques ou madrigaux d'autre part, d'autant plus que les uns sont souvent des transcriptions des autres.

Orchestre de la Cour de Bavière
sous la direction de Roland de Lassus, à l'épinette.
(Münich Staatsbibliothek.)

Les Madrigaux

Le madrigal, autre genre nouveau, est une forme savante de la chanson, née du mariage de la *frottola* (sorte de mélodie populaire harmonisée très répandue en Italie depuis le début du XVIe siècle), et de la polyphonie des maîtres franco-flamands installés à Venise. Se voulant « moderne », le madrigal est entré en réaction contre la chanson traditionnelle, y introduisant sans pitié chromatismes et dissonances. Dans le dernier quart du XVIe siècle, un nombre incroyable de recueils de madrigaux sont publiés dans toute l'Europe. Parmi les plus célèbres figurent deux recueils jumeaux, dont le deuxième a pris modèle sur le premier : *Il trionfo di Dori* (madrigaux de Palestrina, Marenzio, Gabrieli, Vecchi, etc...) et *The triumphs of Oriana* (madrigaux de Morley, Milton le père du poète, Kirbye, Weelkes, Wilbye, etc.). Si l'on excepte Roland de Lassus, qui traita aussi heureusement ce genre que les autres, et (pour une petite partie de son œuvre) Claude LeJeune, la production madrigalesque devint le monopole des Anglais et des Italiens. Le génie poétique anglais fit de son école madrigalesque une des plus brillantes pléïades de musiciens dont puisse s'enorgueillir l'histoire de la musique. William Byrd (1543-1623), immense musicien, le Lassus anglais, dont la production illustre tous les genres connus de son temps, Thomas Morley (1557-1602), son élève, et Orlando Gibbons (1583-1625) ont acquis une renommée universelle, à juste titre. Mais, dans la mesure où seul le madrigal est en cause, les deux plus grands musiciens anglais sont John Wilbye (1574-1638) qui ne composa que deux livres de madrigaux tous d'une égale perfection et Thomas Weelkes (v. 1575-1623) auteur d'un curieux recueil intitulé *Ayres of phantasticke spirites*.

(Wilbye - « Flora gave me fairest flowers » - 1598.)

De Roberti, « Un concerto » (National Gallery).

C'est en Italie que le madrigal commença de paraître dans la première moitié du siècle. Les premiers madrigalistes italiens, comme plus tard leurs confrères anglais, font de « l'impressionisme » sans le savoir ; ils excellent à suggérer des atmosphères baignées de lumière, par une polyphonie plus « harmonique » que « contrapuntique », et possèdent au plus haut point le sens de la composition qui consiste à ne jamais perdre de vue le lien de l'ensemble avec le détail. Peu à peu leur art devient descriptif et dramatique, et des compositeurs comme Orazio Vecchi (vers 1550-1605) traiteront dans la forme madrigalesque de véritables petites intrigues. On n'a pas tort d'affirmer que c'est du madrigal qu'est né l'opéra au début du XVIIᵉ siècle sur le sol italien (voir p. 78). Tous les compositeurs italiens du temps écrivirent dans ce genre (Palestrina, Merulo, Ingegneri, Gabrieli), mais les plus grands maîtres du madrigal italien avant Monteverdi sont sans conteste Luca Marenzio (1553-1599) et Gesualdo (1560-1613).

Comme on l'a déjà vu, la plus grande liberté était admise depuis le XVᵉ siècle pour l'interprétation des œuvres polyphoniques et cette liberté, ou cette imprécision, était encore fréquente au début du XVIIIᵉ (Couperin lui-même écrit sur la page de titre d'une de ses œuvres : « pour clavecin, orgue, manichordion ou tout autre instrument que l'on voudra »). Dans l'interprétation des madrigaux, on n'hésitera pas à remplacer une mauvaise voix par un instrument de même tessiture, on les chantera à une voix seule accompagnée au luth, on les jouera sur l'épinette ou le virginal, ou à quatre violes, ou même sur le luth seul. Ce dernier instrument, quoique médiocre soliste, joue au XVIᵉ siècle un rôle analogue à celui du piano dans les familles bourgeoises d'aujourd'hui.

Les instruments à clavier commencèrent ainsi à se constituer un répertoire à base de transcription ; ces transcriptions ouvrirent la voie aux organistes allemands qui transformèrent peu à peu les entrées vocales en fugue et les « teneurs » de motets en *cantus firmus* de choral. Mais, avant que l'orgue ne possédât véritablement sa littérature propre, un petit instrument, qui s'appelait virginal en Angleterre et épinette en France et qui n'était qu'un clavecin un peu élémentaire, suscitait l'intérêt des musiciens. La musique de clavier prit rapidement un prodigieux essor : pièces brillantes pour la plupart, signées William Byrd, John Bull (l'un des pères de la musique de clavier moderne), Antonio de Cabezon, Peter Sweelinck, J. H. Schein. Au début ces pièces pouvaient être jouées indifféremment à l'orgue ou au clavecin, sauf lorsque leur caractère franchement sacré ou profane les destinait d'office à l'un ou l'autre instrument ; ce n'est qu'au début du XVIIᵉ siècle que se constituera une littérature propre aux deux sortes d'instruments. En même temps apparaissent les premiers quatuors à cordes, sous forme de « concerts de violes », la famille des violes, ancêtres de la famille des violons, groupant des instruments de tessitures différentes

Virginal.

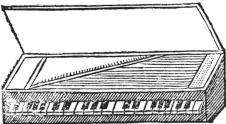

Clauicyterium.

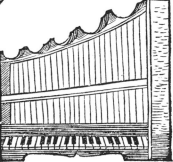

Ørgell.

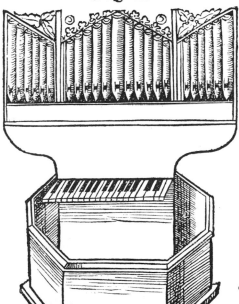

Gravures du « Musica Instrumentalis »
de Martin Agricola (1529).

susceptibles de jouer parfaitement les madrigaux et les pièces écrites à leur usage. Cette forme de musique d'ensemble est, à la fin du XVIe siècle, et au début du XVIIe, une spécialité des musiciens anglais, et tout particulièrement du grand Orlando Gibbons, et toute famille anglaise cultivée se devait de posséder un « chest of viols » et d'en jouer en famille. De ces « concerts instrumentaux » à la musique symphonique, il n'y a qu'un pas qui sera franchi par Giovanni Gabrieli (1557-1612), neveu d'Andrea, le Véronèse de la musique : il fut le premier à écrire de la musique pour cuivres et à placer sur ses partitions des indications instrumentales. De plus, son art des modulations hardies et son sens de la construction en font l'inventeur de la « sonate »* instrumentale.

De nombreux genres nouveaux naissent en même temps que se constitue une littérature instrumentale : le *ricercare* (orgue et clavecin surtout), dont l'importance est énorme dans la naissance des formes fuguées ; la *fantaisie*, qui est le plus souvent un exercice de virtuosité contrapuntique ; la *variation* sur des mélodies du plain-chant, sur des airs de danse ou des chansons populaires ; le *prélude*, morceau de bravoure insipide ; la *toccata* brillante et pompeuse et surtout la chanson instrumentale *(canzon da sonar* ou *sonata)*, ancêtre de la symphonie et de la sonate modernes. Parallèlement commence à se répandre une espèce humaine qui ne cessera par la suite de sévir de plus en plus gravement de par le monde : les virtuoses. Les premiers sont italiens : clavecinistes, organistes, joueurs de viole, de cornet, de trombone, recherchés par toutes les cours d'Europe pour leur habileté à orner la mélodie de traits et de fioritures diverses.

La Musique Religieuse

Cependant le Concile de Trente tentait, entre autres choses, une réforme radicale de la liturgie musicale, en protestant tout particulièrement contre l'emploi des mélodies profanes comme « teneur » ou « *cantus firmus* » des œuvres religieuses. La Réforme le précédera dans cette campagne d'épuration en condamnant la trop grande complexité des mots et de la polyphonie. Il est certain que, lorsque dans un motet polyphonique, les mélodies qui se superposaient en une architecture complexe supportaient des paroles différentes (les unes en latin appartenant à la liturgie, les autres en langue

Boccaccio Adimari
(détail d'une fresque de Florence)

vulgaire appartenant à un fonds populaire parfois grivois), personne n'y comprenait plus rien. On voulut à juste titre que les textes saints soient intelligibles pour tous les fidèles, mais on poussa le zèle trop loin. On en arriva à rechercher une monodie maladroitement calquée sur les mélodies grégoriennes, et un contrepoint « note contre note » épais et sans relief. Cela donna en Angleterre le sinistre *Book of common prayer noted* de Merbecke (inexplicablement resté en faveur jusqu'à nos jours) et en France les fades compositions de Goudimel (qui mit en musique les Psaumes de David adaptés par Clément Marot et Théodore de Bèze). En Allemagne, sous l'impulsion de Luther et de son ami le compositeur Johann Walther, la Réforme donna naissance à un genre nouveau, dont on connaît le succès ultérieur : le choral, genre où brillèrent tout particulièrement Hassler (grand musicien élève de Lassus), Senfl, et Prætorius. Les musiciens de génie réussissent à s'accommoder de toutes les contraintes, et le XVIe siècle nous laisse en fin de compte une anthologie exceptionnelle de compositions religieuses dans la ligne de celles du XVe, chefs-d'œuvre que les siècles suivants pourront envier. Ce sont les grands motets de Tallis, les messes de William Byrd, celles de Jacobus Gallus, les messes et les motets de Roland de Lassus et de Tomas Luis de Victoria, l'un des plus grands musiciens mystiques de tous les temps, les messes de Palestrina (chez qui toutefois la pureté et la transparence peuvent aller jusqu'au vide) etc...

Comme on voit, les principaux pays de l'Europe ont, chacun à partir du XVIe siècle, une histoire de la musique distincte. En France, Janequin, Le Jeune, Costeley et A. de Bertrand préparent la voie aux musiciens de Louis XIII qui furent les maîtres des Charpentier et des Louis Couperin. En Italie, Palestrina, les madrigalistes Marenzio, Ingegneri (le maître de Monteverdi) et Vecchi, les pionniers de génie A. et G. Gabrieli, annoncent Monteverdi, Frescobaldi et Carissimi, et même l'école italienne du XVIIIe. Dans un pays qui passe injustement pour ne pas être musicien, Byrd, Morley, Bull, Wilbye, Dowland, Gibbons et bien d'autres marquent un âge d'or de la musique anglaise qui trouvera son apogée, et malheureusement sa fin, avec Blow et Purcell. Les traditions musicales de la Flandre et des Pays-Bas se perpétuent avec Sweelinck (élève d'A. Gabrieli à Venise) avant le célèbre Buxtehude. Enfin, Hassler (élève d'A. Gabrieli), Senfl (élève d'Isaak), Gallus, Prætorius

◄ p. 68. « *Un musicien* », tableau de Zacchia (Louvre).

◄ p. 69. *La famille Van Berchemm, par Floris.*

(un des plus prolifiques musiciens qui aient existé) et Schein (prédécesseur de Bach à Saint-Thomas) sont les fondateurs de cette école allemande qui, pendant trois siècles, produira un nombre étonnant de grands musiciens, de Schütz à Brahms. En Espagne, Cabezon, Victoria et les principaux contemporains de celui-ci, Morales et Guerrero (plus appréciés de leur temps que Victoria lui-même) forment une brillante école qui sera malheureusement sans lendemain, car il faudra attendre la fin du XIXe siècle pour voir apparaître de nouveau de très grands maîtres espagnols. Un grand génie échappe à ces classifications nationales : Roland de Lassus. Bien qu'il soit en quelque manière l'aboutissement d'une tradition qui remonte à l'école de Notre-Dame, il fait éclater tous les cadres où l'on essaye de l'enfermer. Mieux que Palestrina, et aussi bien au moins que Claude Le Jeune, W. Byrd, Marenzio et Victoria, il personnifie la lumineuse floraison musicale du siècle de la « Renaissance ».

DISCOGRAPHIE

JANEQUIN vers 1485-1558
  Dix chansons — Ensemble Blanchard (DF).
  Vingt chansons — Ensemble Ravier (Val).

CABEZON 1510-1566
  Tientos et Diferencias — Saorgin (Anthologies orgues espagnoles) (HM).

A. et G. GABRIELI vers 1520-1586 et 1557-1612
  Canzoni e sonate — Ensemble Eastman Rochester (Mer).
  Sacrae Symphoniae — Soli, chœurs et orchestre, dir. Corboz (2 × Era).
  Canzoni e Sonate — Ensemble Cleveland (CBS).

PALESTRINA 1525-1594
  Messes **Assumpta est . Tu es Petrus . Dum complerentur . Du pape Marcel** . **Motets** (treize) — Chœurs Ratisbonne, dir. Schrems (3 × Arc).
  Cantique des Cantiques — Chœurs Howard (2 × OL).
  Messes **Ecce ergo Johannes** et **Sine nomine** — Carmelite Priory (OL).

LE JEUNE 1528-1600
  Quatorze chansons — Ensemble Kreder (CdM).
  Octonaires — Ensemble Feuillie (Ari).

LASSUS 1532-1594
  Sacrae Lectiones ex Propheta Job — Madrigalistes de Prague dir. Venhoda (Val).
  Messe **Super Bella Amfitrit'altera** — Ensemble dir. Schrems (Arc).

Psaumes de la pénitence — Ensemble vocal et instrumental dir. Pohl (2 × Arc).
Prophetiae Sibyllarum — Madrigalistes de Prague, dir. Venhoda (Val).
Motets latins. Chansons françaises. Lieder allemands. Madrigaux italiens — Schwäbischer Singkreis, dir. Grischkat (Vox).

BYRD 1543-1623
Messes et Motets — Deller Consort (2 × HM).
Pièces pour clavecin — Fr. Neumeyer (Arc).

VICTORIA vers 1548-1611
Officium Defunctorum — Madrigalistes de Prague, dir. Venhoda (Val).
Répons de la Semaine Sainte (dix-huit) — Moines et Escolania Montserrat (2 × SM).
Messe **Quarti toni** — Ensemble Caillard (Erato).
Messes et Motets **O quam gloriosum . O magnum mysterium** — Choir of the Carmelite Priory (OL).

VECCHI 1550-1605
L'Amfiparnasso — Deller Consort (HM).

GESUALDO vers 1560-1613
Responsoria pour la nuit du Samedi Saint — Madrigalistes de Prague (Val).
Sacrae cantiones (cinq) **. Madrigaux** (sept) — Deller Consort (HM).
Madrigaux à 5 voix (intégrale) — Ensemble Ephrikian (7 d. sép. HM).

DOWLAND 1563-1626
The first book of Ayres — Deller (Ama).
Lacrymae (suite pour violes) — Philomusica of London, dir. Dart (OL).

Danses de la Renaissance — Ensemble Ulsamer (Arc).

Chansons des champs et des rues en Allemagne vers 1500 — Studio der Frühen Musik (Tel).

Divertissement courtois — Ensemble instruments anciens, dir. Cotte (DF). Danceries de la Renaissance (Arbeau, Attaignant, Gervaise).

El Cancionero (musique espagnole du XVIᵉ siècle) — Ensemble vocal Ravier (Val).

Gabrieli et son époque — Ensemble Bâle, dir. Wenzinger (Arc).

I dolci frutti — Ensemble vocal et instrumental de Lausanne dir. M. Corboz (2 × Era). Gabrieli, Merulo, Vecchi, Donato, Zarlino.

Riches heures musicales d'Henry VIII — Ensemble vocal Ravier (Era), Ann Boleyn, Henry VIII, Dowland, Morley, Gibbons, Weelkes, Bennet.

Les Virginalistes — Rogg (HM). Farnaby, Bull, Byrd, Tomkins.

Madrigaux anglais — Deller-Consort (Ama). Wilbye, Johnson, Weelkes, Tallis.

Shakespeare Songs — Deller-Consort (HM). Morley, Weelkes, Byrd, Ravens-Croft.

Consortiana — Deller-Consort, quatuor bulgare, Saorgin (HM). Weelkes, Wilbye, Sermisy, Monteverdi, Gibbons.

Batailles musicales — Concentus musicus, dir. Harnoncourt (Arc). Biber Muffat, Isaac, Byrd.

« Un concert dans un intérieur »
Le Valentin (Louvre).

XVIIe siècle

Dates	Musique	Arts et Lettres	Histoire
1603			Mort d'Elizabeth d'Angleterre
1605-1674	Carissimi		
1606-1684		Pierre Corneille	
1607	*Orfeo* de Monteverdi		
1607-1669		Rembrandt	
1610-1643			Louis XIII
1618-1648			Guerre de Trente ans
1621-1695		La Fontaine	
1622-1673		Molière	
1632-1654			Christine de Suède
1632-1687	Lully		
1634		*La vie est un songe* de Calderon	
1634-1704	M.-A. Charpentier		
1637-1707	Buxtehude		
1639-1699		Racine	
1643	Mort de Monteverdi		
1643-1715			Louis XIV
1645-1696		La Bruyère	
1645-1681	Stradella		
1650		Mort de Descartes	
1653-1713	Corelli		
1657-1726	M. R. de La Lande		
1659-1695	Purcell		
1660-1725	A. Scarlatti		
1666		*Le Misanthrope*	
1667-1674		*Le paradis perdu* de Milton	
1668	Naissance de Couperin		
1672	Mort de Schütz		
1675		Naissance de Saint-Simon	
1677			
1678	Naissance de Vivaldi	*Phèdre*	
1683	Naissance de Rameau		
1684		Naissance de Watteau	
1685	Naissance de Bach		
1686	*Armide* de Lully		
1688	*Didon et Enée* de Purcell		
1689-1725			Pierre le Grand
1694		Naissance de Voltaire	

Gravure de Phaleys. (Louvain).

Plus encore que le précédent, ce siècle est celui de la suprématie italienne en musique. C'est en Italie que naîtront la plupart des genres nouveaux, appelés à engendrer la musique de notre temps, et que se préciseront les caractères essentiels de l'art musical du Grand Siècle. L'influence italienne rayonnera sur toute l'Europe : en France, où Mazarin introduit l'art de ses compatriotes vers 1646, en Angleterre (sans doute grâce au madrigaliste Walter Porter, élève de Monteverdi), en Allemagne avec Schütz (élève de Gabrieli), etc... La simple énumération des compositeurs de valeur qui ont illustré ce siècle pourrait occuper un chapitre. Notre survol devra maintenant se faire assez vite et à une altitude relativement élevée... à plus forte raison pour les siècles suivants.

Les Madrigaux de Monteverdi

La principale caractéristique de l'époque que nous abordons est la victoire de la monodie sur la polyphonie. Victoire progressive et non pas brutale, à l'occasion de laquelle Monteverdi joua un rôle de médiateur. A seize ans, Claudio Monteverdi (1567-1643) publie son premier livre de madrigaux à cinq voix, traités dans le style polyphonique de ses devanciers, mais marqués du sceau original d'un génie naissant : déjà il use d'altérations qui lui permettent de changer la tonalité en cours de morceau et déjà il montre le souci

CLAVDIO VERDE MONTE

FIORI POETICI
Raccolti nel Funerale
DEL MOLTO ILLVSTRE,
E Molto Reverendo
SIGNOR CLAVDIO
Monte verde
Maestro di Cappella della Du-
cale di S. Marco.
Consecrati
DA D. GIO: BATTISTA
Marinoni, det:. Giove:
Maestro di Cappella del Do-
mo di Padoua
ALL' ILLVSTRSS SIMI
& Eccellentissimi
SIG. PROCVRATORI
Di Chiesa di S. Marco.

In VENETIA, Presso Francesco Miloco.
Con Lic. de Sup.   MDCXLIV.

d'épouser les moindres intentions du poème. Plus tard, les madrigaux de son huitième livre (tel l'extraordinaire *Combattimento di Tancredi e Clorinda*, 1624) auront déjà la structure rigoureusement monodique de la cantate classique.

(Édit. Malipiero - Trad. Courville).

Les sommets de l'œuvre madrigalesque de Monteverdi se trouvent dans ses quatrième et cinquième livres, où se réalise la synthèse des âges polyphonique et monodique. Le livre V (1605) comporte déjà une *basse continue** ajoutée à chaque madrigal, basse destinée à être « réalisée » sur des instruments. La publication de ccs deux livres admirables suscita, du fait de l'audace des accords et des modulations, des protestations indignées de la part des milieux musicaux italiens. « *Les sens sont devenus fous*, écrivait le chanoine G. M. Artusi (vers 1545-1613), principal adversaire de Monteverdi, *et c'est le résultat qu'obtiennent délibérément tous ces faiseurs de neuf qui le jour et la nuit s'escriment sur les instruments à chercher des effets nouveaux... Les nouvelles règles qui sont maintenant en vigueur et les nouveaux modes qui en découlent rendent la musique moderne désagréable à l'oreille...* » Et ailleurs le bon chanoine s'écrie naïvement : « *Tout chante ;*

Titre des « Fiori Poetici ».

comment voulez-vous que l'esprit s'y reconnaisse ? » Cependant, deux ans après la publication de ces deux livres de madrigaux, qui justifieraient à eux seuls que l'on considérât leur auteur comme un des plus grands génies de toute l'histoire de la musique, Monteverdi faisait représenter son *Orfeo* (1607), le premier grand chef-d'œuvre d'opéra que l'on connaisse.

Biancheri, « I Metamorfosi musicale » (1601).

Naissance de l'Opéra

On a pris l'habitude de fixer aux environs de 1600 la date de naissance officielle de l'opéra : c'est effectivement l'époque où eurent lieu les premiers essais de la *Camerata Bardi* à Florence. Mais on doit chercher plus tôt les véritables origines de ce genre. Aux noces d'Alfonso d'Este et de Maria Sforza (1493), puis lorsque ce même seigneur épousa en secondes noces Lucrèce Borgia (1502), on fit représenter des comédies de Plaute, agrémentées d'intermèdes instrumentaux, de danses et de quelques hymnes chantés, avec l'intervention intempestive de personnages mythologiques clamant la louange des grands du jour. Toutes les solennités, toutes les fêtes, deviennent l'occasion de spectacles de ce genre. En

1512, en Angleterre, Henry VIII se fait offrir le soir de l'Épiphanie un *divertissement à la manière d'Italie, appelé Maske (sic), chose que l'on n'avait pas encore vue en Angleterre.* Rapidement en faveur sous les Tudor, les masques devinrent la plus importante fête à la cour d'Angleterre. Les sujets étaient généralement empruntés à la mythologie et donnaient lieu à des apparitions de dieux sur des nuages, à des tremblements de terre, etc... Le peintre Holbein fut souvent mis à contribution pour les décors et Ben Jonson composa, de 1604 à 1631, presque tous les poèmes des masques de la cour. Cependant le Comte Giovanni Bardi di Vernio (1534-1612), mécène cultivé, réunissait dans son palais de Florence les meilleurs poètes, musiciens et savants de son temps. Sous l'influence du maître de maison et de Vincenzo Galilei (père du célèbre savant et musicien amateur), qui détestaient la polyphonie franco-flamande, la *Camerata Bardi* s'efforça de créer un style de chant monodique, essentiellement dramatique et expressif, que l'on nomma *stile representativo.* A la *Camerata* appartenaient deux chanteurs : Giulio Caccini, surnommé depuis « le père du *bel canto* », et Jacopo Peri, l'un et l'autre occupés de trouver une forme de chant où l'on puisse *in armonia favellare* (parler en musique). Ces deux musiciens écrivirent dès la fin du XVIe siècle des petites pastorales en musique dont la plus importante est l'*Euridice* de Peri (1600) : pièces extrêmement monotones où la musique est ramenée à sa plus simple expression, celle du *recitativo secco.* Toutefois, on voit se dessiner entre les deux musiciens une différence fondamentale de doctrine qui préfigure les deux écoles de chant de l'avenir : celle du *bel canto* (ou plus exactement du *buon canto*) représentée par Caccini, qui atteindra son apogée avec A. Scarlatti et survivra jusqu'au « vérisme » italien ; et celle du chant classique, pur, qui partant des principes énoncés par Peri trouvera sa plus glorieuse illustration dans l'art de Gluck.

Orfeo

Pour sortir le genre nouveau des limbes, il fallut le génie de Monteverdi. La première d'*Orfeo* (1607) peut être considérée comme l'un des plus grands événements de l'histoire musicale. Renonçant à tout l'appareil mythologique et fantastique dans lequel se complaisaient ses contemporains, l'auteur consacre toute la force de son génie à exprimer les sentiments humains les plus divers, et avec quelle vérité, avec quelle puissance ! Pas une note de cette importante partition n'est gratuite : tout concourt à soutenir l'intérêt dramatique de l'ouvrage. Son récitatif sans sécheresse se présente comme une intarissable mélodie, si bien modelée au texte qu'elle semble inviable sans lui et lui sans elle. La curieuse composition de l'orchestre (précisée dans le manuscrit d'*Orfeo*) mérite d'être mentionnée : deux clavecins, deux contrebasses de viole, dix *viole da brazzo* (sic), une harpe double, deux *violini piccoli alla francese* [1], deux grands théorbes, deux orgues en bois, trois violes de gambe, une régale (orgue portatif), quatre trombones, deux cornets-à-bouquin, une petite flûte à bec, un *clarino* (trompette aiguë), trois trompettes avec sourdines (tous ces instruments étaient disposés derrière la scène). Il faut noter aussi comme élément de nouveauté les *Sinfonie*, interludes d'orchestre assez fréquents, qui, par la répétition des mêmes thèmes à des moments semblables de l'action ou pour annoncer l'entrée de tel ou tel personnage, peuvent être considérées comme des esquisses de *leit-motiv*.

On a malheureusement perdu tous les opéras composés par Monteverdi entre 1608 et 1641, à l'exception d'une page de l'Opéra *Arianna*, le célèbre *Lamento*, morceau dont le succès dut être énorme : Monteverdi, six ans plus tard, en fit un admirable madrigal publié dans son sixième Livre (1614). Par contre nous possédons les partitions de ses deux derniers opéras, chefs-d'œuvre dignes en tous points de l'Orfeo : *Il Ritorno d'Ulisse in patria* (1641) et surtout l'*Incoronazione di Poppea* (1642).

Après Monteverdi, l'opéra fut, à Venise, l'objet d'une vogue étourdissante. « On ne contient pas sans peine, écrit Prunières dans son *Cavalli et l'Opéra vénitien au* XVIIe *siècle*, le public indiscipliné qui ne songe qu'à son plaisir et nullement aux convenances. Les jeunes gens acclament les chanteuses, les appellent de leur noms, en criant : *Mi butto cara* en feignant de se précipiter du haut des loges pour les serrer plus tôt entre leurs bras. Le grand jeu est de reconnaître les chanteurs sous leurs travestissements bizarres. Lorsque

---

1. Cet instrument, qui n'est pas le violon moderne, n'a jamais été clairement identifié.

paraît, costumé en nourrice, un certain prêtre renommé pour la manière dont il tient les rôles bouffes, tout le parterre charmé s'exclame : « *Ecco Pre Pierro che fà la vecchia !* » Plus il y a de sorciers, de revenants, d'imbroglios de toutes sortes et surtout de travestis, plus le public est content. On a même vu, dans le *Xerxès* de Cavalli, un moine chanter le rôle de la reine Amnestris amoureuse du roi de Perse et déguisée en homme. Ces extravagances n'empêchèrent pas les bons musiciens d'écrire de la très bonne musique.

Trois noms dominent la multitude des compositeurs qui alimentaient les théâtres d'opéras de la ville des Doges (on en verra s'y fonder jusqu'à sept) : Cavalli (de son vrai nom Francesco Caletti Bruni) (1602-1676), élève de Monteverdi, est l'objet d'une telle réputation qu'en 1642 il est joué simultanément sur trois théâtres de la ville : au San Moisè *(l'Amore inamorato)*, au San Cassiano *(Virtu degli strali d'Amore)* et au SS. Giovanni e Paulo *(Narcisso ed Eco immortali)*. Marc Antonio Cesti (1623-1669), élève de Carissimi et auteur de plus de cent cinquante opéras, renonce presque totalement au récitatif ; l'action s'en trouve paralysée, mais la musique est enrichie d'airs de toute beauté qui relèvent du meilleur *buon canto*. Enfin Giovanni Legrenzi (1626-1690), à qui Bach rendit hommage en écrivant des *Variations sur un thème de Legrenzi*, est un compositeur extraordinairement fécond et éclectique qui sert de trait d'union entre Cavalli et Scarlatti.

Rome après Venise s'enthousiasma pour l'Opéra naissant. A grands frais, les Barberini se font construire un magnifique palais qui comporte une immense salle de spectacle capable disait-on de contenir trois mille spectateurs. On y joue somptueusement, avec des mises en scène et des machineries qui accaparent presque toute l'attention, des œuvres de compositeurs dont les noms sont presque oubliés de nos jours : Filippo Vitali (sans rapports avec le célèbre compositeur de sonates instrumentales), Domenico Mazzocchi, Stefano Landi, M. A. Rossi, L. Vittori, etc... et celles surtout de deux excellents musiciens qui mériteraient une beaucoup plus grande renommée : Luigi Rossi (1598-1653), auteur d'un très bel *Orfeo* qui contient quelques airs admirables et Jacopo Melani (1623-1676) dont le chef-d'œuvre est sans doute *la Tancia*, l'un des premiers opéras-bouffes.

L'École Napolitaine

Vers la fin du siècle, Naples devient le centre d'où l'Opéra italien rayonne sur toute l'Europe. En 1651 fut représenté à Naples, par une compagnie romaine (l'*Accademia dei Febi Armonici*), l'*Incoronazione di Poppea* du grand Monteverdi. L'entreprise eut tant de succès que l'*Accademia* décida de demeurer à Naples pour donner une série de spectacles analogues ; et, en 1654, Antonio Generoli, chef de cette compagnie, prit en location le fameux théâtre San Bartolomeo récemment reconstruit. Dorénavant ce théâtre, puis le théâtre du Palais Royal de Naples, seront deux remarquables foyers d'opéra où s'épanouira l'âge d'or du *Bel Canto*. C'est à Naples, plus que nulle part ailleurs que l'on sait chanter, que l'on cultive le chant pour lui-même, parfois même au détriment de la musique. Ce qui compte, c'est l'entrée du virtuose et la façon dont il fait valoir la beauté des airs ; si dans la partition un morceau ne lui plaît pas, il en chante un autre de son répertoire. Les partitions prévoient même des moments réservés à l'improvisation : alors, l'orchestre et les spectateurs, tantôt silencieux et éblouis, tantôt hurlant leur enthousiasme, attendent que le *gran uomo* (grand castrat, celui qui sait varier la reprise ou *da capo*) ou la *prima donna* aient cessé d'accomplir leurs prouesses, sans souci de l'intrigue et du jeu scénique. Le succès des grands castrats, en particulier, était tel et leur virtuosité si exceptionnelle que les compositeurs étaient obligés d'écrire des airs de soprano d'une difficulté extravagante pour des personnages tels qu'Auguste ou Alexandre.

Ces excès ne nuirent en rien à l'opéra napolitain et engendrèrent au contraire une magnifique floraison d'airs à vocalises d'une étonnante souplesse, véritable éblouissement pour l'auditeur sensible à l'élément décoratif en musique, à la perfection de la forme et aux finesses du détail.

Et, pour ridicules que soient certains « emplois » dramatiques, des chanteurs comme G. F. Grossi (dit « Siface »), B. Ferri, Giulia de Caro, la Giorgina, semblent avoir été doués de voix incomparables. La grande épidémie de peste de 1656 fit beaucoup de victimes parmi les musiciens, mais il en resta suffisamment et ceux qui restaient eurent chacun des idées pour dix : en 1696, le théâtre du Palais Royal, qui ne commença son activité qu'en 1668, avait déjà monté soixante opéras nouveaux.

Le fondateur de l'école napolitaine fut Francesco Provenzale (1627-1704), très injustement et inexplicablement oublié : sa musique facile et séduisante est d'une facture impeccable et a souvent les qualités expressives de celle d'Alessandro Scarlatti (1660-1725), sa légèreté, son tour spirituel. Le moindre mérite de Provenzale ne fut pas d'avoir été le maître de ce dernier grand musicien, dont l'immense production, exceptionnellement variée (tous les genres connus au XVIIe siècle sont représentés) est inconnue aujourd'hui hors d'Italie, à de rares exceptions près. Le premier opéra de Scarlatti, *Gli equivoci nel sembiante*, fut représenté à Rome en 1679 et fut suivi de 115 autres (90 seulement ont été dénombrés avec certitude), aussi bien dans le futur genre de l'*opéra-buffa* dont il fut avant l'heure le maître incontestable, que dans celui de l'*opéra-seria*. Certains sont des chefs-d'œuvre : *Il Mitridate Eupatore* (drame dans lequel ne figure aucune scène d'amour, chose rare comme on sait), *Telemaco*, *La Griselda*, *Il Trionfo del l'onore* (le premier opéra-bouffe véritable du théâtre italien) et surtout l'extraordinaire *Tigrane* mettant en œuvre un orchestre très nouveau (l'orchestre classique, à peu de chose près : violons, altos, violoncelles, contrebasses, deux hautbois, deux bassons, deux cors).

Alessandro Scarlatti fut vraiment le créateur d'un langage musical qui sera celui de l'art vocal au XVIIIe siècle et trouvera sa forme la plus parfaite chez Mozart. Sur la musique italienne, il eut une influence considérable par ses nombreux élèves : son fils Domenico, naturellement, dont l'œuvre vocal est malheureusement très peu connu, Logroscino, Geminiani, Gizzi, Fago et surtout Gaetano Greco et Francesco Durante (1684-1755). Ces deux derniers à leur tour eurent beaucoup de disciples parmi lesquels Porpora, Leonardo Vinci (admirable musicien, sans parenté avec le célèbre peintre), Pergolesi, Piccini, Paesiello, et ainsi de suite. Si bien que tous les plus grands compositeurs d'opéras italiens, depuis Durante jusqu'à Bellini, se trouvent être, directement ou indirectement élèves d'Alessandro Scarlatti.

En dehors d'Italie, deux pays seulement eurent au XVIIe siècle une production lyrique digne d'intérêt : l'Angleterre et la France. Car il faut tenir pour négligeable la *Dafne* de Schütz, seul opéra du grand musicien allemand, dont la partition est malheureusement perdue.

L'Opéra en France - Lully

En France, sous le règne de Louis XIII, sévissaient des « Airs de Cour » passablement maniérés. Pierre Guédron (vers 1565-1625) fut le seul qui tenta de donner à ces sortes de compositions une expression dramatique. Son gendre et élève, Antoine Boesset (1586-1643), mélodiste adroit et inspiré, ne poursuivit guère ses efforts. Il est vrai que la France ne s'intéressait pas encore à la musique italienne : on ignorait à peu près la basse continue ainsi que les hardiesses harmoniques qui entouraient les premières monodies florentines. Par contre nos compatriotes partageaient avec leurs voisins le goût des mises en scène somptueuses : à cet égard le ballet de cour n'est pas sans similitude avec les spectacles des « Folies-Bergères » aujourd'hui, avec cette différence que, dans le ballet de cour, le roi, la famille royale et les grands seigneurs participaient au *Grand Ballet* final, tandis que notre Président de la République... En 1646, Mazarin eut l'idée de faire représenter des opéras italiens à Paris au moment du Carnaval. C'est ainsi que l'*Orfeo* de Luigi Rossi fut révélé aux Français avec le concours des meilleurs chanteurs italiens et une mise en scène du célèbre Jacopo Torelli, surnommé « le grand sorcier ». Le succès fut tel que l'on renouvela plusieurs fois l'expérience et que, pour le mariage royal, on fit venir le grand Cavalli de Venise. A peu près à la même époque, Robert Cambert (vers 1628-1677) faisait entendre à Vincennes, devant le roi, sa *Pastorale* écrite en collaboration avec l'abbé Perrin (détestable poète, ingénieux et entêté). En 1669 la *Pomone* du même Cambert est jouée avec un tel succès que ce compositeur obtient avec Perrin le privilège d'ouvrir un théâtre rue Mazarine, baptisé « Académie Royale de Musique ». Trois ans après fut créé dans ce nouveau théâtre, *Les peines et les plaisirs de l'amour*, la plus jolie réussite de Cambert, que l'on peut considérer comme le premier opéra français.

Mais les choses se gâtent rapidement : les commanditaires de l'« Académie », hommes d'affaires véreux, ne payent personne, Perrin, en désaccord avec eux, finit en prison et le pauvre Cambert qui n'y est pour rien voit son théâtre fermer. C'est alors qu'entre en scène le plus formidable arriviste

Décor de Bérain pour le dernier acte d'« Armide » de Lully.

ACADEMIE ROYALE DE MUSYQUE

ARMIDE

Berin Inv. et del.   Dolivar Sc.

qu'ait connu l'histoire de la musique : Jean-Baptiste Lulli (ou Lully) (1632-1687). Venu d'Italie pour entrer au service de Mlle de Montpensier, il avait su si bien, peu à peu, se rendre indispensable au roi que celui-ci le nomma surintendant de la musique. Aussitôt fermé le théâtre de Cambert et Perrin, il fit sortir le pauvre abbé de prison, lui acheta son privilège et obtint de nouvelles lettres patentes lui assurant le monopole absolu de l'opéra français. L'inaltérable affection que lui portait Louis XIV, jointe au pouvoir dont le roi l'avait investi et à sa farouche ténacité, lui permirent de triompher de toutes les hostilités. Bossuet lui-même jeta l'anathème sur « ses airs tant répétés dans le monde, qui ne servent qu'à insinuer les passions les plus déréglées »... Ce ne fut pas l'opéra italien que Lully fit triompher chez nous, mais bien l'opéra français, où ce Florentin fait figure de chef d'école. Il a su s'assimiler l'esprit de la musique française à un rare degré, et comprendre les richesses et les faiblesses de notre langue, tant et si bien qu'en même temps qu'il créait l'opéra français, il en faisait un des premiers du monde. De son association avec le poète Quinault naquirent tous ses grands ouvrages, depuis *Cadmus et Hermione* jusqu'à *Armide*, son chef-d'œuvre. A l'opposé du *Bel Canto*, l'art de Lully repose sur une forme de chant très pur, largement déclamé et scrupuleusement soumis aux exigences du texte dramatique, dans la ligne qui sera suivie par Rameau et Gluck.

Après Lully, deux excellents musiciens prépareront l'avènement d'un des plus grands compositeurs français de tous les temps : Jean-Philippe Rameau. Ce sont André Campra (1660-1744) et André Cardinal Destouches (1672-1749). Dix ans après la mort de Lully, eut lieu la première représentation de l'opéra-ballet de Campra l'*Europe Galante*, œuvre ravissante, plus séduisante que les grandes tragédies lyriques du surintendant, et tout illuminée du soleil d'Aix-en-Provence, ville natale de Campra. Son élève Destouches compose, en collaboration avec Delalande, l'opéra-ballet des *Éléments*, où la fraîcheur et la spontanéité de la mélodie, et les hardiesses harmoniques font déjà penser à Rameau...

*Billet d'entrée pour le Beggar's Opera
(gravure de Sympson d'après Hogarth).*

L'Opéra Anglais

En Angleterre, vers les années 1680, John Blow termine la composition d'une perle rare, *Venus and Adonis*, qui, bien qu'intitulé *Maske*, est le premier opéra anglais digne de ce nom : c'est une merveille de fantaisie et de fraîcheur. Six ans après l'éclosion de *Venus et Adonis*, Henry Purcell (1659-1695), astre de toute première grandeur, terminait l'un de ses plus grands chefs-d'œuvre, *Dido and Æneas*. Malgré la médiocrité du livret (d'un certain Nahum Tate, fort heureusement oublié), cet opéra nous tient en suspens de la première note à la dernière et jusque dans les récitatifs, d'une rare intensité dramatique, où Purcell adapte magistralement à la langue anglaise une sorte de *stile rappresentativo*.

L'œuvre énorme de Purcell (où tous les genres sont abordés et ceci dans une carrière de quinze années seulement) domine de très haut celle de tous ses contemporains anglais ; et si l'on se place sur un plan international, il est probable qu'entre 1650 et 1700 il n'a pas existé un musicien aussi étonnamment doué. Ce que Corelli fut pour la musique instrumentale, Lully, pour la tragédie lyrique, Scarlatti pour l'opéra-bouffe et la cantate de chambre, Schütz pour la musique religieuse, Buxtehude pour la musique d'orgue, Purcell, mort à 36 ans, l'a été à lui seul.

(Purcell : Mort de Didon.)

Cantates et Oratorios

En marge de l'opéra, ou plutôt conjointement à lui, la cantate commence une brillante carrière qui aboutira aux chefs-d'œuvre de Jean-Sébastien Bach. Qu'elle soit profane ou religieuse, c'est en principe une courte scène narrée par un récitant et où les principaux personnages prennent tour à tour la parole. A ce genre nouveau appartient déjà le *Combatimento di Tancredi e Clorinda* publié dans le huitième Livre de Madrigaux de Monteverdi, mais la cantate ne trouvera sa forme définitive que chez Luigi Rossi, Carissimi, Bassani, et surtout Alessandro Scarlatti. C'est dans cette discipline que les musiciens du XVIIᵉ apprirent à enchaîner airs, duos, trios, et récitatifs en conservant à l'ensemble une unité dramatique. La cantate exercera en particulier une profonde influence sur le développement de l'oratorio, genre nouveau dont il faut chercher les origines en l'année 1600. Cette année-là fut représenté, dans l'oratoire récemment fondé par saint Philippe Néri *(Congregazione del Oratorio)*, et sur son intelligente initiative, une sorte de mystère du romain Emilio de Cavalieri : *La rappresentazione di Anima e di Corpo*. C'est un véritable opéra sacré où alternent soli et chœurs, et même ballets et intermèdes. La congrégation de l'Oratoire, lassée de la musique polyphonique, ayant décidé d'emblée d'adopter ce genre de composition monodique, le mot d'*Oratorio* resta attaché à ces représentations (qui à l'origine comportaient une mise en scène) : elles se répandront bientôt dans toute l'Italie. Le plus grand maître du genre fut Giacomo Carissimi (1605-1674) dont on connaît quinze oratorios latins, parmi lesquels la célèbre *Jephte* (1650). Cette œuvre magistrale est un modèle à tous points de vue et réalise la synthèse de deux styles, par l'emploi d'un *stile rappresentativo* très souple qui préfigure l'aria classique. Parmi les nombreux élèves de Carissimi se trouve le parisien Marc-Antoine Charpentier, musicien de génie, écrasé de son vivant par la puissance dictatoriale de Lully.

On voit, encore dans le domaine sacré, comme le rayonnement de la musique italienne au XVIIᵉ siècle fut prodigieux ; là encore les plus grands maîtres sont italiens ou élèves d'italiens. Passons-les brièvement en revue :

Monteverdi a écrit des messes dans la forme polyphonique traditionnelle, des motets, litanies, etc., et de prodigieuses Vêpres *(Vespro della Beata Vergine*, 1610). Cette dernière composition est un monument sans précédent dont la splendeur miraculeuse laisse l'auditeur confondu : toutes les richesses du style moderne du temps sont exploitées. C'est une œuvre prophétique qui va beaucoup plus loin que bien des œuvres ultérieures.

Alessandro Stradella (1642-1682), qui appartient sans doute à l'École napolitaine, a composé des oratorios qui annoncent Hændel. Il représente par excellence le chant orné en musique religieuse.

Alessandro Scarlatti a, comme Monteverdi, composé des messes dans le style archaïque palestrinien et des œuvres en style moderne, dont la plus remarquable est *la Passion selon saint Jean.*

Schütz, élève de Gabrieli, a laissé des pièces en forme de cantates, des psaumes d'une émouvante gravité, et quatre *Passions* d'après les quatre évangélistes qui sont les sommets de son œuvre et lui mériteraient le titre de « Monteverdi allemand ».

Marc-Antoine Charpentier, élève de Carissimi, dont les *Histoires Sacrées* (équivalent français des grandes œuvres de Carissimi ou Schütz) sont, sans doute, le chef-d'œuvre, a composé également un *Magnificat* et une ravissante *Messe de Minuit* sur des Noëls anciens.

Deux grands compositeurs de musique religieuse échappent à peu près à l'influence italienne : l'Anglais Henry Purcell et le Français Michel Richard Delalande (1657-1726), dont les quarante grands motets sont à l'image du cadre somptueux pour lequel ils étaient conçus : Versailles, où quatre-vingt-dix chanteurs accompagnés par des instrumentistes sélectionnés donnent à la Chapelle Royale un éclat exceptionnel.

La Musique instrumentale

En même temps que le perfectionnement des instruments et le développement de la lutherie, le XVIIe siècle voit la naissance de formes musicales nouvelles : la sonate (*), la suite, le concerto. Toutes trois dérivent de la *sonata* italienne, pièce

*Concert dans une église allemande
(« Musikaliches Lexikon »).*

Stradivarius dans son atelier (gravure anonyme du XVIIIᵉ s.).

« sonnée » par les instruments sans partie chantée. La forme
la plus caractéristique en est alors la pièce pour un ou deux
instruments avec accompagnement (basse continue ou *continuo*) au clavecin. Un très grand musicien donna à la sonate
naissante sa forme véritable, en même temps qu'il fixait celle
du concerto : Arcangelo Corelli (1653-1713), que ses contemporains avaient sacré prince de tous les violonistes. Son génie
consiste à avoir trouvé du premier coup un ordre immuable
qui ne fut guère modifié avant la tourmente romantique. Les
grands compositeurs italiens de musique instrumentale,
Torelli (véritable créateur du concerto de solistes avec son
op. 8), Galuppi, Vivaldi, Geminiani, Albinoni, etc... doivent
à Corelli le langage musical par lequel ils ont accédé à la gloire.

C'est au XVIIᵉ siècle que le violon entre définitivement dans la vie publique. Issu des antiques violes vers 1520, il ne supplantera définitivement celles-ci que dans la seconde moitié du XVIIᵉ ; le violoncelle ne s'impose à son tour qu'au début du XVIIIᵉ. La prodigieuse école de lutherie de Crémone (Amati, Stradivarius, Guarnerius) donne immédiatement aux instruments nouveaux une qualité qui ne sera jamais dépassée par la suite ni même atteinte. Ces instruments qui, avant-hier, étaient à peine jugés bons pour accompagner la danse, sont maintenant à la place d'honneur et le roi de France se fait constituer une « Grande bande des vingt-quatre violons » qui sera célèbre dans toute l'Europe : il s'agit en fait d'un véritable orchestre à cordes où les violons voisinent avec les antiques violes.

C'est également au XVIIᵉ siècle que s'épanouit un mode d'expression qui fera la gloire de l'école française : la pièce de clavecin. En tête de cette école figure Jacques Champion de Chambonnières, qui eut pour élèves presque tous les plus éminents clavecinistes de la seconde moitié du XVIIᵉ siècle, à commencer par les trois premiers Couperin, Louis, Charles et François l'Ancien (les deux oncles et le père de Couperin-le-Grand). Leurs œuvres, en général brillantes et fort séduisantes, utilisent des formes de danse (Allemande, courante, sarabande, gigue, etc.) qui restcront classiques dans la suite (ou partita) née au début du siècle. Comme par le passé les clavecinistes sont en même temps organistes, mais la musique d'orgue se différencie nettement de celle de clavecin à mesure que l'instrument se perfectionne. Certaines orgues parisiennes possédaient, avant la fin du XVIIᵉ siècle, quatre claviers, et un pédalier faisant parler une quarantaine de jeux, avec accouplements et tirasses. Les plus grands organistes parmi les prédécesseurs de Bach furent surtout : Antonio de Cabezón (1510-1566), Girolamo Frescobaldi (1583-1643), dont les *Fiori Musicali* ont été recopiées entièrement par Bach ; l'Anglais John Bull et le Néerlandais Peter Sweelinck dont il a été déjà question au chapitre précédent ; Henry Purcell que l'on retrouve partout au premier rang ; Jehan Titelouze (1563-1633) le chef de l'école d'orgue française ; Louis Couperin (v. 1626-1661), Nicolas de Grigny (1671-1703), organiste de Reims qui par la grave et fine poésie de ses œuvres a, pendant sa courte vie, exercé une influence considérable tant en France qu'à l'étranger ; Dietrich Buxtehude

Cantate de Buxtehude. (« Tablaturbuch » de Lübeck.)

(1637-1707) génial compositeur danois et virtuose éblouissant qui se fit entendre de Bach venu spécialement à Lübeck pour recevoir ses conseils ; etc...

Trait d'union entre le XVIIe et le XVIIIe siècles, François Couperin « le Grand » (1668-1733) a composé deux Messes, l'une « à l'usage des Paroisses », l'autre « à l'usage des Couvents » qui comptent parmi les plus grands chefs-d'œuvre de la littérature d'orgue. Il faut entendre ces œuvres somptueuses pour comprendre que Couperin n'est pas seulement l'auteur d'aimables et spirituelles pièces de clavecin (qui s'intitulent *l'Enjouée, la Voluptueuse, les Barricades mystérieuses, les Fastes de la Grande Ménestrandise*, etc.). Ces délicieux tableaux sonores qui évoquent l'intarissable fantaisie de Watteau ont pu, injustement, faire classer parmi les petits maîtres l'auteur des majestueux *Concerts Royaux* ou d'émouvantes compositions religieuses comme les *Leçons de Ténèbres* et le *Motet de Sainte-Suzanne*.

Ces œuvres, comme les opéras d'Alessandro Scarlatti ou les grands motets de Delalande, nous introduisent sans transition dans le siècle classique entre tous : celui de Rameau, Bach, Hændel et Mozart.

(Couperin).

DISCOGRAPHIE

SWEELINCK 1562-1621
Pièces d'orgue — Videro (Val).
Pièces de clavecin — Neumeyer (HM).

TITELOUZE 1563-1633
Hymnes . Magnificat — M. Chapuis (HM).

MONTEVERDI 1567-1643
Vespro della Beata Vergine — Soli, chœur et ensemble instrumental Lausanne, dir. Corboz (3 × Erato).
Selva Morale intégrale — Ensemble vocal et instrumental Lausanne, dir. Corboz (8 × Erato).
Orfeo — Soli, ensemble vocal et instrumental Lausanne, dir. Corboz (3 × Erato).
Ritorno d'Ulisse — Soli et Concentus Musicus, dir. Harnoncourt (4 × Tel).
Incoronazione di Poppea — Soli et Concentus Musicus, dir. Harnoncourt (5 × Tel).
Madrigaux des 8ᵉ et 9ᵉ Livres et Scherzi Musicali — Soli et chœurs Glyndebourne, Ambrosian Singers et Orchestre de chambre anglais, dir. Leppard (5 × Phi).
Madrigaux (anthologie) — Chœur Monteverdi de Hambourg, dir. Jürgens (Arc).
Madrigaux (anthologie) — Ensemble Lausanne, dir. Corboz (2 + 3 × Era).

PRAETORIUS 1571-1621
Cantique des trois enfants — Chœurs et cuivres, dir. Caillard (Erato).
Geistliche Tricinien (huit) — Chœur d'enfants Bender (Arc).

FRESCOBALDI 1583-1643
Fiori Musicali intégrale — Tagliavini (2 × Era).

SCHÜTZ 1585-1672
Passion selon saint Luc — Kreuzchor de Dresde (Arc).
Nativité (Weihnachtshistorie) — Ensemble dir. Thamm (VsM).
Musikalische Exequien — Soli, chœur et orch. Munich, dir. Richter (Arc).
Kleine geistliche Konzerte — Ensemble dir. Ehmann (5 × Bae).
Geistliche Chormusik — soli, chœurs et ensemble instr., dir. Behrmann (3 × CBS).

Psaumes de David — Ensemble Schneidt (3 × Arc).
Sept paroles du Christ en croix — Ensemble Dresde, dir. Mauersberger (Arc).
Cantiones sacrae — Dresdner Kreuzchor, dir. Mauersberger (3 × Tél).
Psaumes et Magnificat — Kreuzchor de Dresde, dir. Mauersberger (Arc).

CAVALLI 1602-1676

Messa concertata — Ensemble Angelicum de Milan (AMS).
Ormindo — Van Borkh, Berbié, Cuenod, orchestre Londres, dir. Leppard (3 × Arg).
La Calisto — Soli, chœur Glyndebourne et orchestre Londres, dir. Leppard (2 × Arg).

CARISSIMI 1605-1674

Jefte oratorio — Ensemble dir. Wolters (Arc).
Histoire d'Ezéchias. Histoire d'Abraham et Isaac — Ensemble Lisbonne, dir. Corboz (Era).

COUPERIN L. (1626-1661)

Pièces pour orgue — Chapuis (Arc).

LEGRENZI 1626-1690

La Vendita del Core oratorio — Carteri, Bohé, Lecocq, Vessières, Veyron-Lacroix, Lamy, dir. Blanchard (DF).

LULLY 1632-1687

Alceste — Soli, chœur Passaquet, Grande Écurie, dir. Malgoire (3 × CBS).
Musique pour Molière — Grande Écurie, dir. Malgoire (CBS).
Te Deum — Soli, chœur et orchestre, dir. Paillard (Era).

CHARPENTIER 1634-1704

Les neuf Leçons de ténèbres — Rodde, Chamonin, Wirz, Grande Écurie, dir. Malgoire (3 × CBS).
Te Deum . Salve Regina . Tenebræ factæ sunt — Soli, chœur et orch. Lisbonne, dir. Corboz (Era).
Messe de Minuit — Soli, chœur et orch. dir. Willcocks (VsM).

BUXTEHUDE 1637-1707

Membra Jesu Nostri — Soli, chœur et orch. Pforzheim, dir. Schweizer (DaC).
Cantates . Motets — Bach Collegiùm Stuttgart (Can).
Œuvre d'orgue — Saorgin (orgue d'Alkmaar) (3 d. sép. HM).

BIBER 1644-1704

Sonates du Rosaire — S. Lautenbacher (3 × Vox).

BLOW 1649-1708

Venus and Adonis masque — Ritchie et ensemble, dir. Lewis (OL).
Trois Odes — Ensemble Deller (HM).

CORELLI 1653-1713

Concertos op. 5 — Melkus, Dreyfus (2 × Arc).
Concertos op. 6 — I Musici (Phi).

96

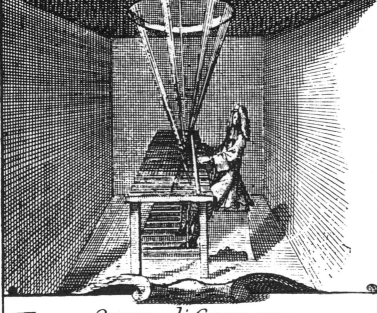

CXI   *Organo di Campane*

DELALANDE 1657-1726
Motets **Exaltabo te** . **Nisi Dominus** — Soli, chœur et orch. dir. Fremaux (Erato).
De Profundis . **Regina Coeli** — Soli, chœur et orch. dir. Corboz (Erato).
Symphonies pour les soupers du Roy 4e suite — Orch. Paillard (Erato).

TORELLI 1658-1709
Cinq Concerti grossi de l'op. 8 — I Musici (Phi).
Quatre Sinfonie — Ensemble Angelicum (HM).

PURCELL 1659-1695
Dido and Aeneas — Trojanos, Armstrong, McDaniel, chœur et orch. Hambourg, dir. Mackerras (Arc).
King Arthur — Soli, chœur et orch. Londres, dir. Lewis (2 × OL).
Fairy Queen — Soli, chœur et orch. Londres, dir. Lewis (3 × OL).
Musique pour la Chapelle royale anthems — Ensemble Cambridge et St-Martin-in-the-Fields, dir. Guest (Argo).
Œuvres vocales (dont **Come ye sons of Art**) — Ensemble Deller (Ama).
Anthems quatre — Ensemble Deller (HM).
Airs et pièces instrumentales — Deller et Baroque Players (Ama).
Sonates en trio — Ciompi, Torkanowsky, Koutzen (Dov).

SCARLATTI (A.) 1660-1725
Passion selon saint Jean — Soli, chœur et orch. université de Yale, dir. Boatwright (Lumen).
Giuditta oratorio — Soli, chœur et orch. dir. Blanchard (HM).
Messe . **Motets** — Ensemble Lausanne, dir. Corboz (Erato).
Concerti grossi (six) — Solistes de l'orch. Scarlatti, dir. Gracis (Arc).
Sonates pour flûte à bec (trois) . **Arianna** cantate — Graf et ensemble Ricercare de Zürich (HM).

CAMPRA 1660-1744
Messe de Requiem — Soli, chœur et orch. dir. Fremaux (Erato).
Te Deum — Soli, chœur et orch. dir. Fremaux (Erato).
In convertendo . **Nativitas Domini** — Soli, chœur et orch. Strasbourg, dir. Delage (Charlin).
Suite des fêtes vénitiennes — Collegium Aureum (HM).

L'âge d'or de la musique pour clavecin — Puyana (Mer).

Concert à S. Petronio de Bologne (Torelli, Pasquini, Gabrieli, Manfredini) — Ensemble dir. Gotti (Erato).

L'orgue avant Bach (Frescobaldi, Blow, Sweelinck, Pachelbel, Grigny, etc.) — M.-Cl. Alain (Erato).

Le livre d'or de l'orgue français — Isoir, Thiry (10 × 3 × Cal).

Et collection « Orgues historiques » (en continuelle publication) (HM).

XVIIIᵉ siècle

Dates	Musique	Arts et Lettres	Histoire
1702-1714			Guerre de Succession d'Espagne
1704		Mort de Bossuet	
1711		Mort de Boileau	
1715-1774			Louis XV
1721		*Les lettres persanes*	
1722-1724	*Le Clavecin bien tempéré*		
1725-1805		Greuze	
1725	Mort de A. Scarlatti		
1732-1806		Fragonard	
1733	Mort de Couperin		
1738	*Messe en si mineur*		
1740-1748			Guerre de Succession d'Autriche
1740-1786			Frédéric le Grand
1741	Mort de Vivaldi		
1750	Mort de Bach		
1751-1772		*L'Encyclopédie*	
1752	*La servante maîtresse. Les Bouffons*		
1756-1763			Guerre de Sept ans
1756-1791	Mozart		
1759		*Candide*	
1764	Mort de Rameau		
1766	*Alceste* de Gluck		
1769		La machine à vapeur	
1770	Naissance de Beethoven		
1774-1792			Louis XVI
1780		Naissance de Ingres	
1781		*Critique de la Raison pure*	
1784		*Mariage de Figaro*	
1786	Naissance de Weber		
1787	*Don Juan*		
1789			Révolution française
1790		Premier *Faust* de Gœthe	
1791	*La flûte enchantée*		
1792-1804			Première République
1797	Naissance de Schubert		
1798	*La création* de Haydn		

En 1715 (début du règne de Louis XV), Jean-Sébastien Bach est âgé de trente ans. Il n'a encore composé aucune de ses très grandes œuvres, à l'exception de la Cantate *Actus Tragicus* qui date de 1714. Il continue à apprendre son métier, bien qu'il en sache déjà beaucoup plus que la plupart de ses confrères et copie inlassablement la musique de ses maîtres préférés, tenant son esprit grand ouvert sur l'univers musical qui l'entoure. Cet univers, le voici.

En 1715, Buxtehude et Corelli sont morts, le premier depuis huit ans, le second depuis deux ans ; tous les compositeurs de la première moitié du siècle subiront plus ou moins leur influence lorsqu'ils écriront de la musique d'orgue, ou des concertos... Delalande a 58 ans ; il continue de composer pour la Chapelle de Versailles ses célèbres motets qui suscitent l'admiration du vieux roi Louis XIV... Alessandro Scarlatti, âgé de 55 ans, fait représenter à Naples pour le Carnaval son 106ᵉ opéra, *Il Tigrane*... Couperin a 47 ans et charme depuis un an la vieillesse du roi en donnant chaque dimanche aux concerts « de la Chambre » la primeur d'un de ses *Concerts royaux*... Antonio Vivaldi, de sept ans l'aîné de Bach, a déjà composé quelques-uns de ses plus célèbres concertos, mais consacre alors la plus grande part de son activité à écrire des opéras que l'on aimerait bien entendre (il y en a une trentaine)... Le jeune Rameau (32 ans) est organiste du couvent des Dominicains de Lyon ; c'est un garçon renfermé et songeur qui vit à l'écart du monde musical et n'aime déjà pas la musique italienne ; il a publié cinq ans auparavant son premier recueil de pièces de clavecin... Hændel et Domenico Scarlatti (fils d'Alessandro) sont exactement contemporains de Bach. Le premier est déjà installé à Londres où il gagne la faveur du Roi (Georges Ier) par des pièces de circonstance, et celle du public par d'assez médiocres opéras italiens ; il est célèbre dans toute l'Europe depuis les quatre années qu'il vient de passer en Italie, voyage au cours duquel il fut l'hôte des Scarlatti à Naples... Domenico Scarlatti, lui aussi est célèbre, comme claveciniste ; il vient d'être nommé maître de chapelle de Saint-Pierre de Rome ; avait-il déjà composé une partie de ses fameuses « sonates » ou *essercizi* ? on l'ignore ; toujours est-il qu'aucune n'était encore publiée...

Après la mort d'Alessandro Scarlatti, qui laisse 115 opéras, 700 cantates, plus de 200 psaumes, et d'innombrables oratorios, airs détachés, pièces instrumentales, etc., l'étoile de l'Italie commence à pâlir devant celle de l'Allemagne. Malgré leur génie incontestable, Domenico Scarlatti, Antonio Vivaldi Francesco Geminiani ou Giovanni-Battista Pergolesi ne peuvent lutter avec un géant comme Bach. Mieux encore, dans la seconde moitié du siècle, l'astre éblouissant qu'est Mozart empêche même de voir Sacchini, Cimarosa, Paesiello et tant d'autres qui, en un autre temps, auraient été dignes des premières places. C'est pourtant encore de la musique italienne que Hændel fait entendre aux Anglais, mettant ainsi un point final à leur histoire musicale ; car ce compositeur allemand écrit pour un public anglais des opéras en langue italienne. Le succès est immense et Londres devient une des premières capitales italiennes de la musique. Mais pour nous qui pouvons juger avec le recul, le vrai génie de Hændel ne s'affirme que plus tard dans les grands oratorios anglais qui trahissent leur sang allemand.

Les grandes œuvres de Bach (1722-1738)

En 1722, Bach termine le *Clavecin bien tempéré* (ou plus exactement le « premier livre » du *Clavecin bien tempéré*, selon la terminologie moderne ; le « deuxième livre du C. B. T. » qui date de 1740-1744, était intitulé tout simplement *Vingt-quatre nouveaux préludes et fugues*). Le but modeste de cette série de vingt-quatre chefs-d'œuvre était de montrer que l'on peut jouer dans les douze tons majeurs et les douze tons mineurs sur un clavecin « bien tempéré », c'est-à-dire accordé selon les règles du tempérament (*). La démarche était osée à une époque où l'on inscrivait rarement plus d'un ou deux accidents à la clé, où les tonalités majeures de *fa* dièze, *do* dièze, *si*, *la* bémol, et leurs relatifs (*) mineurs, n'étaient jamais employés. Dans cet étonnant recueil, on trouve déjà tout Bach et bien d'autres choses encore : dissonances qui annoncent le XXe siècle, formules chromatiques qui font penser à Chopin, moments d'inspiration romantique à la Schumann. On trouve surtout un sens poétique toujours renouvelé et déjà une totale maîtrise de la fugue, ce genre difficile où Bach est resté inégalé : à cet égard la fugue n° 4 en *do* dièze mineur est un monument qui s'élève à la même hauteur que les plus somptueuses fugues d'orgue.

De la même époque datent les six *Concertos Brandebourgeois* (1721) et les quatre *Suites* (env. 1720-1730). Ces œuvres n'innovent en rien, mais elles constituent des modèles qui semblent parfaits et définitifs, les premiers dans le genre du

Titre du Petit Livre d'Anna Magdalena Bach (1722).

Concerto Grosso italien, les secondes dans le genre de l'Ouverture à la française (Bach les intitulait lui-même « Ouvertures », et elles débutent chacune par une grande ouverture, à elle seule plus importante que les autres pièces).

En 1723, l'année où il fut nommé à Saint-Thomas de Leipzig, le nouveau Cantor composa pour la fête de Noël un grand *Magnificat*, destiné à prendre place après le sermon, œuvre radieuse, réconfortante, claire comme la vérité et, à juste titre, l'une des plus populaires de son auteur. Un tout petit peu plus tard, Bach, décidément touché par la grâce, composait la *Passion selon saint Jean* (1724) et la *Passion selon saint Matthieu* (1729) [1], deux œuvres qui présentent les différences de caractère qui existent entre les récits des deux évangélistes. Les gens avisés, qui ne veulent pas être pris pour ceux que le luxe éblouit, préfèrent quelquefois la première, dont la beauté ne se découvre qu'à la longue, dans la simplicité des lignes, dans le renoncement à l'effet, dans l'expression d'une humble méditation. La *Passion selon saint Matthieu* est au contraire haute en couleur, profondément dramatique, une de ces œuvres qui vous bouleversent dès la première audition. Il faut reconnaître que, dans la forme, ces passions ne diffèrent, en rien de fondamental, des Passions de Schütz, si ce n'est par l'importance nouvelle accordée au choral, véritable *Leitmelodie* comme le remarque Schweitzer.

En 1738 est terminée la *Messe en si mineur*, synthèse formidable de tout ce qui s'est écrit en musique religieuse et peut-être le chef-d'œuvre de Bach. On lui a parfois reproché, en jouant le jeu dangereux des comparaisons, de manquer de cette forte unité qui frappe dans certaines des dernières cantates et qui constitue une des supériorités de la *Passion selon saint Matthieu* sur celle *selon saint Jean*. Est-ce admettre que l'artisan d'un tel monument n'a pas su, du fait de l'immensité de l'œuvre, en garder une vue d'ensemble ; car la *Messe en Si* est le plus grandiose édifice qu'ait conçu

---

1. Tout porte à croire que Bach a écrit cinq Passions. Malheureusement trois sont perdues, car on ne peut tenir compte de la *Passion selon Saint Luc* publiée par la *Bach-Gesellschaft*, l'authenticité de cette œuvre étant plus que douteuse : c'est sans doute l'œuvre d'un auteur inconnu que Bach a seulement recopiée de sa main.

Signe terminal au bas de la partition de la Messe en Si.

Bach (bien qu'elle dure moins longtemps que les Passions ou l'*Oratorio de Noël*)? Mais alors, quelle impression peut avoir sur sa construction l'auditeur sensible, brutalement arraché des préoccupations terrestres, bousculé dans son confort intellectuel, privé de son sens critique et entraîné irrésistiblement au gré du génie créateur ? Peut-être y a-t-il des musiques plus parfaites : il n'y en a guère de plus fortes.

Bach est donc, depuis 1723, Cantor de Saint-Thomas à Leipzig. Il conservera ce poste jusqu'à sa mort, c'est-à-dire pendant vingt-sept ans. C'est le temps de la composition des cantates. Bach en a composé cinq cycles pour chaque dimanche et chaque fête de l'année ; elles étaient destinées à prendre place entre la lecture de l'évangile et le sermon. Le lundi, en bon artisan consciencieux, il se mettait au travail de bonne heure, car bon nombre de ses cantates devaient être composées dans la semaine qui précédait le dimanche de leur exécution ; il fallait encore copier les parties et faire répéter des chanteurs et des instrumentistes plus ou moins doués. Le parfum d'intimité et de piété sincère qui émane de ces compositions vient de ce que Bach ne les a jamais composées pour la postérité, mais bien plutôt pour associer les fidèles à sa prière, pour leur montrer le chemin qui mène à Dieu. Et si aujourd'hui ces chefs-d'œuvre touchent d'emblée n'importe quel public, c'est qu'ils reposent sur des bases populaires sûres : celles du vieux choral luthérien. Sur les quelque trois cents cantates composées par Bach, il ne nous reste actuellement que deux cents.

Parmi les plus belles on peut citer :

1 Des premières années de Leipzig : *Christ lag in Todesbanden* (nº 4 - pour Pâques 1724) et *Herr gehe nicht ins Gericht* (nº 105 - pour le 9ᵉ dimanche après la Trinité) ;

2. De l'époque contemporaine des grandes œuvres : *Ich habe genug* (nº 82 - basse solo - pour la Purification) et *Wachet auf* (nº 140 sur le célèbre choral mystique de Nicolaï - pour le 27ᵉ dimanche après la Trinité).

3. Des dernières années, celles des grandes cantateschorals : *Jesu, der du meine Seele* (nº 78 - pour le 14ᵉ dimanche après la Trinité) et *Ich habe in gottes Herz und Sinn* (nº 92 sur une belle mélodie de choral empruntée à une chanson française du XVIᵉ siècle - pour la Septuagésime).

Fidèle à une tradition familiale plus que centenaire, Bach était organiste et passait pour être un extraordinaire

J.-S. Bach, portrait anonyme.
(Musée Municipal d'Erfurt.)

virtuose sur cet instrument. Il nous a laissé un grand nombre de pièces admirables dont la réputation n'est plus à faire et où brillent d'un éclat tout particulier les divers recueils de chorals, la plus magistrale expression musicale du dogme luthérien. Jamais la contemplation mystique n'a été suggérée avec autant de force et de splendeur que dans le Recueil de chorals de 1739 (qui commence par le grand prélude en mi bémol, se termine sur la triple fugue du même ton et contient le clair et sublime *Jesus Christus unser Heiland*), ou que dans le recueil intitulé *Orgelbüchlein* que Bach, dans sa modestie, destinait à l'enseignement.

Les grandes œuvres de Rameau (1730-1745)

Jean-Philippe Rameau (1683-1764), écrivit ses plus grandes œuvres presque en même temps que Bach. Jusqu'à l'âge de quarante ans, il ne produisit pas grand'chose et se consacra dans l'isolement à l'étude scientifique de l'harmonie. Le fruit de cette étude consiste en plusieurs ouvrages théoriques sur lesquels repose toute l'harmonie moderne. Les plus intéressants sont le *Traité de l'harmonie réduite à ses principes naturels* (1722) et la *Génération harmonique* (1737). On se demande en lisant ces ouvrages ce que serait devenu Rameau s'il n'avait été un grand compositeur : certainement un grand homme de science ou un grand homme de lettres. On ne sait ce qu'on doit admirer le plus dans ses écrits : la clarté et la logique du raisonnement ou l'élégance du discours. La commission chargée par l'Académie des Sciences d'étudier le second des ouvrages cités écrit dans son rapport : « Ainsi l'harmonie assujettie communément à des lois assez arbitraires, ou suggérée par une expérience aveugle, est devenue par le travail de M. Rameau une science géométrique, et à laquelle les principes mathématiques peuvent s'appliquer avec une utilité plus réelle et plus sensible. » Et Rameau, avec la naïveté des grands esprits, conclut ce même livre ainsi : « On peut juger combien il est facile de donner une méthode simple, précise et abrégée de la Composition, et du peu de temps qu'il faut pour en tirer toutes les connaissances nécessaires dans la pratique. »

Vers 1730, Rameau rencontre le Fermier Général La Pouplinière, mécène clairvoyant : il devient directeur de sa

J.-P. Rameau, par Carmontelle
(Condé, Chantilly).

musique particulière et réussit, grâce à l'influence de son protecteur (rien n'a changé sous le ciel de France), à faire représenter à l'Opéra son *Hippolyte et Aricie* (1733). Il a déjà cinquante ans et jouit, comme théoricien, d'une considérable réputation. L'œuvre suscite d'ardentes controverses : on reproche à l'auteur trop d'audaces harmoniques, une importance excessive de l'orchestre. Ce premier opéra est déjà un chef-d'œuvre. *Les Indes Galantes* (1735), *Castor et Pollux* (1737) et *Dardanus* (1739), en sont de plus grands encore qui reçurent du public un accueil triomphal et auraient mis en déroute les « Lullystes » si la « querelle des Lullystes et des Ramistes » avait été autre chose qu'une invention des musicologues. Rameau se montre plus musicien qu'homme de théâtre (les livrets sont d'ailleurs exécrables) : variété de l'invention mélodique, perfection et richesse de l'harmonie, sens de la couleur orchestrale. A ce dernier point de vue, il fait figure de novateur en utilisant dans l'orchestre les clarinettes et les cors d'harmonie, en faisant jouer aux instruments à cordes des doubles cordes et des *pizzicati*. Autre nouveauté : l'importance accrue de l'ouverture, en général descriptive ; Rameau crée l'ouverture à programme de Berlioz, Wagner, etc...

A cette même grande époque créatrice de la vie de Rameau appartiennent les *Pièces de clavecin en Concert*, consistant en cinq « concerts » formés chacun de trois ou quatre pièces, son chef-d'œuvre en musique de chambre. Là aussi il se montre un novateur de génie, le plus grand novateur dans le domaine harmonique depuis Monteverdi : emploi de sixtes ajoutées (Debussy), de quartes et septièmes ajoutées (Ravel), d'accords par superposition de tierces...

(Rameau : 1ᵉʳ tambourin du 3ᵉ Concert.)

Sa gloire ne lui survécut pas. Déjà de son vivant, il eut à subir la poussée de l'esprit nouveau qui se portait vers une musique facile et sentimentale, vers l'Opéra-Comique : quinze ans après sa mort, aucun de ses opéras ne figurait plus au répertoire. De plus, il avait fini par se faire des ennemis de ses anciens amis, en prenant la plume pour dénoncer les niaiseries que Rousseau et les « Encyclopédistes » écrivaient sur la musique.

Gravure de Benazech

Les grandes œuvres de Hændel (1742-1750)

Il existe un motif au moins pour considérer le génie de Hændel comme inférieur à celui de Bach. Il put, jusqu'à l'âge de 57 ans, se tromper radicalement sur sa véritable vocation en cherchant dans l'opéra italien une gloire facile, tandis que le Cantor de Saint-Thomas découvrit d'emblée la voie dans laquelle il s'avança sans une hésitation. Encore est-ce à des contingences extra-musicales que nous devons la série des chefs-d'œuvre qui commencent avec le *Messie* en 1742. En effet, les amis de Bononcini (médiocre compositeur italien installé à Londres) ayant décidé de « boycotter » toutes les œuvres de Hændel et y ayant déjà passablement réussi, ce dernier s'avisa de l'intérêt qu'il y aurait à abandonner l'opéra et se tourner vers l'oratorio. Le genre nouveau avait de plus l'insigne avantage d'être la seule forme de spectacle autorisée pendant le Carême : ainsi la concurrence se trouvait considérablement diminuée. La première audition du *Messie* à Dublin fut un des plus grands succès de la carrière de Hændel et, en vingt-huit auditions à Londres, l'œuvre rapporta plus de 10.000 livres. A l'occasion des auditions de ses oratorios, l'auteur se ménageait également un vaste succès de virtuose en interprétant entre les diverses parties des pièces d'orgue qu'il composait pour la circonstance. Le *Messie* demeure son chef-d'œuvre et les publics de tous les pays l'ont reconnu immédiatement. Cependant un grand nombre de partitions magnifiques suivirent cet essai magistral, les plus intéressantes étant *Belshazar* (1748) et *Jephté* (1751), la dernière œuvre du maître presque aveugle. L'année suivante il était frappé de cécité totale, victime du bistouri d'un célèbre chirurgien du temps, un certain Taylor, celui-là même qui, trois ans auparavant, avait fait perdre la vue à Bach.

La postérité de Bach

Peu avant la funeste opération qui devait lui coûter la vie, Bach donnait naissance à ses derniers chefs-d'œuvre sans que personne s'en aperçût. Ce sont : *L'Art de la Fugue* (1749), œuvre désincarnée qui a les vertus exaltantes des plus parfaites réussites de l'esprit humain, les *Variations Goldberg* pour clavecin, et le pur et sublime choral-prélude *Vor deinen Thron tret'ich allhier*, ultime pensée musicale du maître, dictée de son lit de mourant à l'un de ses fils, et qui semble une divine oraison que l'âme de Bach, déjà parvenue dans un monde de paix, laisse descendre sur nous pour la consolation des pécheurs...

Ses fils se partagèrent les grandes partitions et vendirent les autres (les cuivres de *L'Art de la Fugue* furent vendus au poids du métal). Sa veuve mourut un peu plus tard à l'hospice des pauvres. Et il est émouvant de penser que Beethoven contribua à une souscription ouverte en faveur de la fille cadette du grand Jean-Sébastien Bach, qui mourait de faim...

Il faut attendre le XIXᵉ siècle pour que la postérité accorde à l'œuvre de Bach l'intérêt qu'elle mérite et ce n'est qu'après cent ans que la *Passion selon saint Mathieu* sera révélée au public par les soins de Mendelssohn (1829).

Bach eut cinq fils musiciens, dont certains comptent parmi les meilleurs compositeurs de leur temps : Wilhelm-Friedmann (1710-1784), personnage fantasque qui fut un surprenant pré-romantique ; Karl-Philip-Emanuel (1714-1788), l'un des créateurs de la sonate classique ; Johann-Gottfried (1715-1739), qui vécut trop peu et fut trop mal appliqué pour développer ses dons naturels ; Johann-Christoph (1732-1795), aimable et prolifique compositeur de musique vocale ; Johann-Christian (1735-1782), compositeur fécond de musique à l'italienne, qui s'établit à Londres trois ans après la mort de Hændel et fut le premier à composer des concertos de piano [1].

Concertos italiens

La première moitié du XVIIIᵉ siècle voit s'épanouir une exceptionnelle floraison de concerti et de sonates pour violon, clavecin et divers instruments. Ces formes instrumentales restent une spécialité de l'Italie et, comme on a lu plus haut à propos des Concertos Brandebourgeois, elles conservent un caractère italien sous la plume des compositeurs étrangers (naturellement les pièces de clavecin de Rameau et les préludes et fugues de Bach n'entrent pas dans cette catégorie). Antonio Vivaldi (1678-1741), le plus grand maître du concerto italien, a été quelque peu redécouvert par nos contemporains et il n'y aura bientôt plus un mélomane aujourd'hui qui ne prétendra connaître tous ses concertos (près de cinq cents), tout au moins ceux qui furent édités : les op. 3, *Estro armonico* ; 4, *La Stravaganza* ; 6, 7, 8 (*Il Cimento dell'Armonia*, comprenant *Le quattro Stagioni*) ;

---

1. Bartolomeo Christofori est vraisemblablement l'inventeur du piano à marteaux. Les instruments qu'il construisit à Florence à partir de 1711 utilisent une mécanique semblable à celle de nos pianos modernes. Mais ses instruments ne passèrent pas les frontières d'Italie, et c'est l'Allemand Silbermann qui contribua pour la plus grande part à développer la fabrication du nouvel instrument, quoique ses premiers « pianoforte » n'aient pas eu l'entière approbation de J.-S. Bach.

9 *(La Cetra)*, 10, 11, 12, soit au total 84 concertos gravés ! Ces œuvres jouent un rôle considérable dans l'histoire du genre : importance accrue du soliste, adoption définitive de la division tripartite (vif - lent - vif) et d'un caractère lyrique tout nouveau pour le mouvement lent, important renouvellement de l'invention rythmique, etc... Tommaso Albinoni reprend à son tour depuis quelques années la place qui lui revient dans la vie musicale. Bach lui-même connaissait et admirait la musique de ces deux compositeurs : de Vivaldi il transcrivit six Concertos (dont le célèbre *Concerto pour 4 violons* de l'op. 3) et il composa deux fugues pour orgue sur des thèmes d'Albinoni.

Bien d'autres compositeurs de cette époque restent à découvrir et l'on ne saurait trop conseiller aux amateurs éclectiques et avides d'impressions nouvelles de faire l'impossible pour entendre leurs œuvres : que de merveilles sont encore oubliées, aussi injustement que l'étaient, il n'y a pas longtemps, les œuvres de Vivaldi ! Par exemple, et en tout premier lieu, les *Concerti Grossi* de Geminiani (1687-1762), ou les sonates de Porpora (1686-1768), de Galuppi (1706-1785), de Tartini (1692-1770)... Pergolesi (1710-1736), lui, semble connu, mais il doit la plus grande part de sa réputation à des œuvres (d'une très grande beauté d'ailleurs) qui ne sont probablement pas de lui : les six Concertinos. Et l'on ne connaît pas ses admirables *Sonates à 3*, pas plus d'ailleurs que sa musique religieuse. Parmi les Italiens encore, l'incomparable Domenico Scarlatti (1685-1757) occupe une place à part : ses 555 « Sonates » pour clavecin font éclater par leur fantaisie et leur audace le cadre rigide de la forme binaire. Un Français, Jean-Marie Leclair (1697-1764), que la regrettée

Claude Crussard et son ensemble *Ars Rediviva* avaient entrepris de révéler au public, doit être inscrit en lettres d'or à ce tableau d'honneur de la musique instrumentale, pour ses concertos de violon et ses sonates pour violon ou flûte, spirituelles, enthousiastes et remplies de traits de génie. Parmi les Allemands, Bach et Hændel ont écrit de fort belles sonates pour violon ou pour flûte. Dans un style très voisin de celui de Bach, citons aussi les multiples compositions instrumentales de Telemann (1681-1767) que l'auteur lui-même se déclarait incapable de dénombrer [1].

L'Opéra-Comique

« *Je vais chercher la paix au temple des Chansons : J'entends crier : Lulli, Campra, Rameau, Bouffons ! Êtes-vous pour la France ou bien pour l'Italie ? Je suis pour mon plaisir, messieurs...*» (Voltaire).

En attendant que le plus pur génie musical de tous les temps soit venu, sous une forme angélique, donner des solutions limpides à tous les problèmes, on se bat, intelligemment mais stérilement, autour de l'opéra. Lassée des formules un peu guindées de l'opéra traditionnel, une bonne partie du public parisien, soutenue par quelques intellectuels et quelques beaux esprits, commença de s'enthousiasmer pour un genre nouveau : l'opéra-comique, c'est-à-dire la comédie mêlée de chants que l'on représentait au Théâtre Italien de Paris, et à la Foire Saint-Germain. Or en 1752, une troupe de comédiens italiens, spécialisés dans l'*Opera-buffa*, vint représenter à Paris la *Servante Maîtresse* de Pergolesi. Cette pièce est une admirable réussite en son genre, sans mériter toutefois les flots d'encre que l'on fit couler à son propos. Le baron Grimm, le premier, produisit

---

1. Telemann eut de son vivant une plus grande notoriété que Bach. Si le génie du second nous oblige aujourd'hui à reléguer son aîné au second plan, il ne faut pas sous-estimer son immense talent. Sur le plan de la fécondité, il bat largement A. Scarlatti, détenteur du record jusqu'alors. On lui doit plus de 2.000 Cantates, 40 Passions, 40 Opéras, 600 Ouvertures françaises (dans le style des *Suites* de Bach), et un nombre inimaginable de pièces instrumentales de toutes sortes.

un manifeste où il disait leur fait, sans ménagements, aux compositeurs qui persistaient dans la voie de l'ancienne tragédie lyrique ; Rameau servit de cible. Le monde musical commença de s'agiter, des clans se formèrent, et cette affaire de famille passa dans le domaine public quand on sut que la reine tenait pour les Italiens et le roi pour les Français [1]. Ce fut la fameuse « Querelle des Bouffons » qui serait restée sur le terrain des spirituelles escarmouches si Jean-Jacques Rousseau n'était entré en lice avec une violence inattendue, frappant d'anathème à tort et à travers les meilleurs musiciens et proférant des vérités parfois défendables, mais habituellement rendues inacceptables par les absurdes arguments servis pour les défendre. Il semble ressortir de sa *Lettre sur la musique française* (1753) que les Français sont incapables de jamais faire de bonne musique.

L'opéra-comique français donna, il est vrai, une multitude d'obscures fadaises, comme l'opéra-bouffe italien d'ailleurs. Mais de chaque côté des Alpes naquirent quelques perles inestimables qui font ressortir l'inutilité de la querelle : le *Déserteur* de Monsigny (1769) où Diderot et Grimm reconnurent un art apparenté à celui qu'ils prônaient ; *Blaise le Savetier* de Philidor (1759) ; *Lucile* de Grétry (1769)... En Italie la *Servante Maîtresse* de Pergolesi fut suivie de charmants et spirituels opéras-bouffes, parmi lesquels la *Servante Maîtresse* de Pacsiello (1780) et surtout l'impérissable *Mariage Secret* de Cimarosa (1793).

En 1774, Gluck (1714-1787) fait une entrée magistrale sur la scène musicale française, entrée savamment préparée à coups d'influence, de relations, et grâce à la protection d'une ancienne élève, devenue la dauphine Marie-Antoinette. A Paris, il tempête, il proteste, il foudroie ses adversaires et obtient en fin de compte tout ce qu'il veut. Digne successeur de Lully, tant par son absence de sens démocratique, que par la forme de son génie musical, il sera le deuxième compositeur étranger à dominer en tyran l'histoire de cet opéra français, que les Français dédaignent. Il donne successivement à Paris trois chefs-d'œuvre : *Iphigénie en Aulide*, *Orphée* et *Alceste* (son œuvre maîtresse) dont la préface est le digne

---

1. *Clan des Italiens :* la reine, Grimm, Diderot, Rousseau, d'Holbach.
   Clan des Français : Louis XV, Mme de Pompadour, Rameau, Fréron, l'abbé Laugier, Mondonville, Philidor.

Atelier de luthier (planche de l'Encyclopédie).

Fig. 2.

Fig. 1.

Fig. 5.

pendant musical des plus célèbres préfaces du théâtre classique. Cette préface enseigne notamment que la musique doit seconder la poésie et que tout doit concourir à l'effet dramatique. « Il n'est aucune règle que je n'aie cru devoir sacrifier de bonne grâce en faveur de l'effet », écrit Gluck. Le triomphe de son *Alceste* lui donna raison et lorsque, dans l'acte du Temple, un chef-d'œuvre d'orchestration, les trombones se mêlèrent au chœur, l'auditeur le moins bien disposé dut avoir le souffle coupé (Gluck fut le premier à introduire les trombones dans l'orchestre) ! Mais ce succès déplut à quelques amateurs, Marmontel en tête, qui, profitant d'une absence de Gluck, organisèrent la contre-offensive. Estimant que, seuls, les Italiens étaient capables de composer une musique d'opéra propre à les divertir, ils firent venir Piccini (1728-1800) pour l'opposer à Gluck. Il s'ensuivit un bref tournoi que, pour les commodités de l'histoire, on appelle « querelle des Gluckistes et des Piccinistes » querelle préjudiciable aux deux antagonistes, mais où Piccini se distingua de son rival par son esprit chevaleresque.

Costume d'Agamemnon
dans « Iphigénie en Aulide »

Carmontelle : Enfance de Mozart (collection André Meyer).

Mozart

« *Le plus prodigieux génie l'a élevé au-dessus de tous les maîtres, dans tous les arts et dans tous les siècles.* » (Wagner.)

Tandis que l'*Alceste* de Gluck triomphe bruyamment à Paris, Mozart, âgé de vingt ans, a déjà composé plus de la moitié de ses symphonies. Le monde a-t-il pris conscience du génie qui lui est tombé du ciel et se souvient-il de l'enfant prodige, du « petit Mozart », qui posait à ceux qui voulaient l'entendre cette étrange question préalable : « M'aimez-vous ? M'aimez-vous bien ? » Non : les succès se multiplient, mais ce sont des feux de paille et leur lueur est passagère. Haydn, du moins, ce grand sage de la musique avait compris lorsqu'il écrivait au père de Mozart : « Je vous le déclare à la face de Dieu, je vous le jure sur mon honneur, votre fils est à mes yeux le plus grand compositeur qui ait jamais existé. » Mozart ne s'explique pas. Comment décrire le génie, cette forme de révélation qui dépasse le savoir et dont on n'aperçoit que les manifestations. D'autant plus qu'ici aucune révolution n'est opérée, aucun manifeste n'est publié, aucun système nouveau n'est mis en œuvre ; mais nulle musique ne fut modelée d'aussi près sur les mouvements de l'âme. La musique de Mozart ne décrit pas les sentiments humains, elle en est l'incarnation, échappant par là à toute défaillance du goût ou de l'esprit.

Les grandes œuvres datent des onze dernières années. Les voici dans leur succession chronologique : *La Messe du Couronnement* (1779); *L'Enlèvement au Sérail* (1781); la grandiose *Messe en ut mineur* (1782) ; les *Noces de Figaro* (1785) ; *Don Juan* (1787), le chef-d'œuvre des chefs-d'œuvre ; *Cosi fan tutte* (1790); les trois dernières symphonies (1788) : les grands concertos de piano (1785-1791) et en particulier le 20e en ré mineur (K. 466), le 21e en ut majeur (K. 467), le 24e en ut mineur (K. 491), le 26e en ré majeur, dit « du Couronnement » (K. 537) ; enfin, les trois plus grands chefs-d'œuvre de la dernière année où une trentaine de compositions virent le jour, *La Flûte Enchantée*, le radieux *Quintette à cordes en mi bémol* et le *Requiem* (1791). Puis Mozart s'en alla doucement en murmurant le sublime *Lacrymosa*, le plus beau verset de ce *Requiem* inachevé [1]...

---

1. Un élève très cher de Wolfgang, F. X. Sussmayer, termina le *Requiem* d'après les indications du maître. Son admirable travail est un émouvant exemple de piété filiale : le génie de Mozart semble avoir habité en lui.

PAR PERMISSION

DE S. A. S. MONSEIGNEUR

LE PRINCE DE CONDÉ,

QUI HONORERA DE SA PRÉSENCE LE CONCERT.

LE Sr. MOZART, Maître de Musique de la Chapelle du Prince, Archevêque de Salzbourg, aura l'honneur de donner demain 18 Juillet 1766.

UN GRAND CONCERT

A LA SALLE DE L'HOTEL DE VILLE,

Dans lequel son Fils, âgé de 9 ans, & sa Fille de 14, exécuteront des Concerts sur le Clavecin de la composition des plus grands Maîtres. Ils exécuteront aussi des Concerts à deux Clavecins, & des Piéces sur le même ensemble à quatre mains.

Il chantera un air de sa composition, & toutes les Ouvertures seront de ce jeune Enfant, grand Compositeur, qui, n'ayant jamais trouvé son égal, a fait l'admiration des Cours de Versailles, de Vienne & de Londres. Les Amateurs pourront, à leur gré, lui présenter de la Musique, il exécute tout à livre ouvert.

On commencera à huit heures.

On prendra 3 livres.

crosca morta mi dà.

Manuscrit de « Don Juan »,
dernières mesures de l'air d'Ottavio :
« Dalla sua pace... »

Les témoins ont rapporté que le vent et la neige ayant dispersé avant le cimetière les rares amis qui suivaient la dépouille du plus grand musicien de tous les temps, il fut enseveli dans la fosse commune, ne laissant d'autre trace que celle si parfaite de son génie. Pas une modeste croix, pas un nom gravé dans la pierre n'indiquent que cet être divin eut aussi une existence terrestre.

« Le convoi du pauvre », aquatinte de Vigneron dont Beethoven possédait un exemplaire, placé sur son piano, cette image évoquant pour lui la triste fin de Mozart (B. N. Estampes).

La grande symphonie classique :
Haydn, Mozart, Beethoven.

En 1787 (l'année de *Don Juan*), le jeune Beethoven fut envoyé à Vienne pour y devenir l'élève de Mozart ; à la mort de celui-ci en 1791, son éducation musicale fut confiée à Haydn. On s'explique que Beethoven soit devenu le plus grand symphoniste de tous les temps !... Ces trois musiciens sont les maîtres incontestés de la symphonie dite classique, car si Beethoven est le premier romantique, il est en même temps le dernier classique et l'on ne voit pas la nécessité d'établir, comme on fait, une stricte frontière entre lui et Mozart, son aîné de quatorze ans seulement. La symphonie était née peu d'années auparavant, lorsque la *sinfonia* devint une véritable sonate pour orchestre en passant du théâtre au concert, ce concert dont l'institution était toute nouvelle [1]. Les plus grands précurseurs dans cette voie furent Vivaldi, Albinoni, avec ses six *sinfonie a quattro* (où déjà l'on trouve un menuet avec trio, intercalé entre le mouvement lent et le final), G. B. Sammartini (1698-1775) et Johann Stamitz (1717-1757) : ces deux derniers donnèrent à la symphonie la forme qu'elle conservera jusqu'à Beethoven. Ils furent suivis immédiatement par quelques très bons musiciens, dont Schobert, Boccherini, Gossec et K. P. E. Bach. Mais les grands chefs-d'œuvre du genre sont indiscutablement : les douze dernières symphonies de Haydn (1790-95), parmi lesquelles figurent la 92e en sol majeur (*Oxford*), la 94e en sol majeur (*Surprise*), la 100e encore en sol majeur (*Militaire*), la 99e en mi bémol qui semble un affectueux hommage au génie de Mozart... ; puis les trois dernières symphonies de Mozart (mi bémol, sol mineur et *Jupiter*) et enfin les symphonies de Beethoven dont les six premières furent écrites du vivant de Haydn, de 1800 à 1808.

A 65 ans, Haydn réserve au monde une dernière surprise en composant, dans le genre (qui semblait délaissé) de l'oratorio, deux chefs-d'œuvre d'où jaillissent la fraîcheur et l'en-

---

1. La musique jusqu'alors ne s'entendait qu'au théâtre, à l'église ou en privé. Les premiers promoteurs de la formule des concerts publics furent : en Angleterre : John Banister (1673) ; en Allemagne : Telemann avec les *Collegia Musica* (1709) ; en France : Philidor avec les *Concerts Spirituels* (1725) ; en Suède : Roman (1731).

Haydn, d'après le portrait de G. Dance.

thousiasme de la jeunesse : *La Création* et *Les Saisons*. Et dix ans après, le 27 mars 1808, le vieux maître malade éprouva sans doute la plus grande joie de sa vie lorsque la *Création* fut donnée dans la grande salle de l'Université de Vienne sous la direction de Salieri, en une véritable apothéose. Quelques mois plus tard, eut lieu dans la même ville, au milieu d'un malaise certain, la première audition des 5e et 6e Symphonies de Beethoven et de son 4e Concerto pour piano en sol majeur.

AVVISO.

Oggi Venerdì 8. del corrente Gennajo la Sigra. Maria Bolla, virtuosa di Musica, darà una Accademia nella piccola Sala del Ridotto. La Musica sarà di nuova composizione del Sigre. Haydn, il quale ne sarà alla direzione.

Vi canteranno la Sigra. Bolla, la Sigra. Tomeoni, e il Sigre. Mombelli.

Il Sigre. Bethofen suonerà un Concerto sul Pianoforte.

Il prezzo dei biglietti d'ingresso sarà di uno zecchino. Questi potranno averzi o alla Cassa del Teatro Nazionale, o in casa della Sigra. Bolla, nella Parisergasse Nro. 444. al secondo piano.

Il principio sarà alle ore sei e mezza.

DISCOGRAPHIE

COUPERIN 1668-1733
Trois Leçons de ténèbres — Deller, Tood, Perulli, Chapuis (HM).
Concerts royaux (quatorze) — Nicolet, Holliger (4 × Arc).
Deux Messes pour orgue — Chapuis (Val).
Les Nations — Ensemble Paillard (2 × Erato).
Pièces de clavecin 6e, 11e, 13e, 18e ordres — Dreyfus (2 d. sép. Val).
Pièces de clavecin — Veyron-Lacroix (Erato).

CALDARA 1670-1736
Missa sanctificationis — Soli, chœur et orch. Prague, dir. Smetacek (Cha).
Cantates profanes (deux) — Società Cameristica Lugano, dir. Loehrer (BaM).

ALBINONI 1671-1750
Concertos pour hautbois op. IX — Pierlot et Solisti Veneti (2 × Erato).
Concertos et sonates divers — Ensemble Heidelberg (DaC).

VIVALDI 1678-1741
Il Dixit — Soli, chœur et orch. Vienne, dir. Ephrikian (Arco).
Gloria . Kyrie . Lauda Jerusalem — Soli, chœur et orch., dir. Caillat (Erato).
Stabat Mater . Deux Introductions au Miserere — Heynis et ensemble de Milan, dir. Ephrikian (VSM).
Juditha triumphans — Soli et orchestre de chambre Berlin, dir. Negri (3 × Phi).
Orlando furioso — Horne, Los Angeles, Solisti Veneti, dir. Scimone (3 × Era).
Concertos op. III (Estro armonico) — Virtuosi di Roma (3 × VsM).
Concertos op. IV (Stravaganza) — Solisti di Milano, dir. Ephrikian (2 × VsM).
Concertos op. VIII (dont **les Quatre Saisons**) — I Musici (3 × Phi).
Concertos op. IX (La Cetra) — I Musici (3 × Phi).
Concertos op. X pour flûte — Gazzelloni et I Musici (Phi).
Concertos op. XII — Solisti di Milano, dir. Ephrikian (VsM).
Concertos divers — Solistes de Zagreb, dir. Janigro (Ama) — Orchestre de chambre Seiler (Arc) — Orchestre de chambre Paillard (Erato).
Concertos pour double orchestre (quatre) — Solisti di Milano, solistes de Bruxelles, dir. Ephrikian (VsM).
Concertos pour hautbois (intégrale) — Pierlot et Solisti Veneti (2 × Erato).

TELEMANN 1681-1767

Le Jugement Dernier — Soli, petits chanteurs de Vienne, chœurs Hambourg, et Concentus Musicus, dir. Harnoncourt (Tel).
Magnificat en ut . **Magnificat allemand** — Soli, chœur et orch. dir. Redel (Phi).
Cantate **Ino** — Janowitz et orch. de Hambourg, dir. Boettcher (Arc).
Suites pour flûte à bec et cordes — Concentus Musicus Vienne, dir. Harnoncourt (Tel).
Concerto pour trompette . **Sonates** — André, Pierlot, Veyron-Lacroix, et orch. Paillard (Erato).
Musiques de table — Schola Cantorum Basiliensis, dir. Wenzinger (6 × Arc).
Concertos pour trois trompettes . **pour flûtes** . **pour hautbois d'amour** — Soli et orch. Pro Arte, dir. Redel (Phi).

RAMEAU 1683-1764

Les Indes galantes — Rodde, Yakar, Le Maigat, chœur Passaquet, Grande Écurie, dir. Malgoire (3 × CBS).
Castor et Pollux — Souzay, Vandersteene, Schele, chœur Stockholm, Concentus Musicus, dir. Harnoncourt (4 × Tel).
Hippolyte et Aricie — Soli, chœur et orchestre anglais, dir. Lewis (3 × OL).
Les Paladins (extr.) — Rodde, Farge, Benoit, Grande Écurie, dir. Malgoire (CBS).
Platée opéra — Micheau, Sénéchal, Gedda, Jansen, orch. Conservatoire, dir. Rosbaud (2 × Pathé).
Suite de **Dardanus** — Collegium Aureum (HM).
Psaume **In Convertendo** — Ensemble vocal et instrumental Froment (Erato).
Pièces de clavecin en concerts — Huguette Dreyfus, Lardé, Lamy (Val).
Œuvre de clavecin intégral — Huguette Dreyfus (Val).

DURANTE 1684-1755

Concertos pour cordes — Collegium Aureum (HM).

SCARLATTI (D.) 1685-1757

Cent Sonates — Sgrizzi (clavecin) (6 d. sép. Era).
Quarante-neuf Sonates — Huguette Dreyfus (clavecin) (3 d. sép. Val).
Quarante Sonates — Wanda Landowska (clavecin) (2 d. sép. VsM).
Douze Sonates — Horowitz (piano) (CBS).

BACH 1685-1750

Cantates
Rilling : importante anthologie en cours (albums de 5 × Era).
Harnoncourt et Leonhardt : intégrale en cours (série de 2 × Tel).
Werner : **1** . **10** (Erato) — **11** . **104** *Du Hirte Israel* (Erato) — **28** . **119** (Erato) — **80** *Ein feste Burg* . **87** (Erato) — **131** . **149** (Erato).
Thomas : **4** Pâques *Christ lag in Todesbanden* . **54** . **59** (VsM) — **41** . **179** (Can).
Jurgens : **18** . **152** (Tel).
Richter : **60** . **147** *Herz und Mund* (Arc) . **79** . **127** (Arc).
Kahlhöfer : **61** *Nun komm der Heiden Heiland* . **132** (Can).
Gönnenwein : **78** *Jesu, der du meine Seele* . **106** *Actus tragicus* (Col) . **140** *Wachet auf* . **148** (Col).

Passion selon saint Matthieu — Soli, chœurs et Concentus Musicus, dir. Harnoncourt (4 × Tel).

Passion selon saint Jean — Altmeyer, Crass, Ameling, Madrigalchor et Consortium Musicum, dir. Gönnenwein (3 × VsM).

Messe en si mineur — Soli, chœurs et orchestre Lausanne, dir. Corboz (3 × Era).

Oratorio de Noël — Soli, chœur et Concentus Musicus, dir. Harnoncourt (3 × Tel).

Magnificat — Soli, chœurs et orchestre Stuttgart, dir. Münchinger (Dec).

Concertos brandebourgeois — Concentus Musicus Vienne, dir. Harnoncourt (Tel).

Suites pour orchestre — Concentus Musicus Vienne, dir. Harnoncourt (Tel).

Concertos pour clavecin (intégrale) — Leonhardt Consort (5 × Tel).

Sonates pour flûte — Rampal et Veyron-Lacroix (2 × Erato).

Suites pour violoncelle seul — Fournier (3 × Arc).

L'offrande musicale — Leonhardt Consort (Phi).

L'Art de la fugue — Walcha (orgue) (2 × DGG).

L'Œuvre d'orgue intégral — Chapuis (4 × 5 Val).

L'Œuvre pour clavecin intégral — Ružickova (21 d. sép. Era).

Clavecin bien tempéré (à l'orgue) — Thiry (Ari).

Œuvres pour clavecin (anthologie) — B. Verlet (Phi).

Sonates diverses — Lardé, Huguette Dreyfus, etc. (5 × Val).

HAENDEL 1685-1759

Le Messie — Harwood, Baker, Ambrosian Singers, Orchestre de chambre anglais, dir. Mackerras (3 × VsM).

Israël en Égypte — Soli, chœurs et orchestre de chambre anglais, dir. Mackerras (2 × Arc).

Saül — Price, Mc Intyre et Orchestre de chambre anglais, dir. Mackerras (3 × Arc).

Jules César — Fischer-Dieskau, Trojanos, chœurs et orchestre Munich, dir. Richter (4 × DGG).

Alexander's Feast — Ensemble Deller (2 × Phi).

Alcina — Sutherland, Berganza, Sciutti, Alva, chœurs et orchestre, dir. Bonynge (3 × Dec).

Water Music — Grande Écurie (CBS).

Fireworks Music — Orchestre de chambre Paillard (Era).

Concerti grossi op. 6 — Orchestre de chambre Paillard (3 d. sép. Era).

Concertos pour orgue — M.-C. Alain et orchestre de chambre Paillard (4 d. sép. Era).

Sonates pour violon (quatre) — Suk, Ružicková (Era).

GEMINIANI 1687-1762

Six Concerti grossi op. 2 — Accademici di Milano (Vox).

Six Concerti grossi op. 7 — I Musici (Phi).

TARTINI 1692-1770

Sonates — D. Oïstrakh et Bauer (CdM).

LEO 1694-1744

La Morte di Abele oratorio — Ensemble Angelicum, dir. Cillario (AMS).

LOCATELLI 1695-1764

L'Arte del violino, op. 3 (12 Concerti et 24 Caprices) — Lautenbacher (3 × Vox).

LECLAIR 1697-1764

Concertos op. 7 n°s 1 et 5 — Bernard et orch. Rouen, dir. Beaucamp (Phi).
Concerto pour flûte — Linde et Schola Cantorum Basiliensis (Arc).
Sonates pour flûte et clavecin — Lardé, Dreyfus (2 × Val).

PERGOLESI 1710-1736

Stabat Mater et Salve Regina — Soli et ensemble Lugano, dir. Loehrer (Era).

Motets (quatre) — Ensemble Angelicum Milan (Era).

Cantates profanes (quatre) — Ticinelli-Fattori et orchestre de chambre, dir. Gallico (Era).

La Serva Padrona — Bustamante, Capecchi, English Chamber Orchestra (Ens).

Six Concertinos (attribution douteuse : V. Ricciotti), **Concertos pour flûte** (deux) — Rampal et orchestre, dir. Münchinger (2 × Dec).

GLUCK 1714-1787

Orfeo ed Euridice — Verrett, Moffo, chœur et orch. (Virtuosi di Roma et Collegium Musicum Italicum) dir. Fasano (3 × RCA).

LES FILS DE J.-S. BACH

Œuvres pour flûte et clavecin — Larrieu, Beckensteiner (Vega).

Concertos pour clavecin et pour piano forte — Veyron-Lacroix, Dreyfus et orch. Ristenpart (Erato).

Œuvres instrumentales diverses — Ensemble Mayence, dir. Kehr (Vox).

STAMITZ (J.) 1717-1757

Trios pour orchestre — Orch. tchèque, dir. Münchinger (Sup).

HAYDN 1732-1809

La Création — Soli, chœur et orch. Vienne, dir. Münchinger (2 × Decca).

Les Saisons — Soli, chœur et orch. Vienne, dir. Böhm (3 × DGG).

Messes en sol majeur . si bémol majeur — Soli, chœur et orch. Vienne, dir. Grossmann (Phi).

Nelson Messe — Stader, Haefliger, chœur et orch. Budapest, dir. Ferencsik (DGG).

Les Six dernières grandes messes — Soli, chœurs et orchestre Cambridge, dir. Guest (6 × Arg).

Symphonies (intégrale) — Philharmonia Hungarica, dir. Dorati (10 albums de 4 ou 6 × Dec).

Symphonies n°s 85 et 87 — Collegium Aureum (HM).
Symphonies n°s 91 et 103 — Orchestre Radio bavaroise, dir. Jochum (DGG).
Concertos pour clavecin — Veyron-Lacroix et orch., dir. Auriacombe (VsM).
Concertos pour trompette, pour orgue et pour deux cors — André, Alain, Barboteu, Coursier, orch. Paillard (Erato).
Concertos pour violoncelle — Fournier et orch. Lucerne, dir. Baumgartner (DGG).
Quatuors op. 76 intégrale — Quatuor A. Berg (3 × VsM).
Quatuors op. 77 intégrale — Quatuor Amadeus (6 × DGG).
Quatuors l'Alouette, les Quintes et Sérénade — Quartetto Italiano (Phi).
Sonates pour piano (douze) — Riefling (3 × Val).
Lieder (dix-huit) — Fischer-Dieskau, G. Moore (VsM).

BOCCHERINI   1743-1805
Concerto pour violoncelle en si bémol majeur — Fournier et orch. Lucerne, dir. Baumgartner (DGG).
Concerto pour guitare — Segovia et orch., dir. Jorda (DGG).
Sinfonia La Casa del diavolo . Sinfonia concertante avec guitare — Orch. Angelicum (HM).
Quintette en mi majeur . Quintette avec guitare (n° 2) — Diaz, Schneider, etc. (Ama).

STAMITZ (C.)   1745-1801
Sinfonie — Collegium Aureum (HM).

CIMAROSA   1749-1801
Il Matrimonio segreto — Sciutti, Stignani, Alva, orch. Scala, dir. Sanzogno (3 × VsM).
Il Maestro di Cappella — Bruscantini et Virtuosi di Roma, dir. Fasano (VsM).

MOZART   1756-1791
Don Giovanni — Sutherland, Schwarzkopf, Sciutti, Wächter, Alva, chœur et orch. Philharmonia, dir. Giulini (4 × Col) — Nilsson, Fischer-Dieskau, Arroyo, Grist, chœur et orch. Prague, dir. Böhm (4 × DGG).
La Flûte enchantée — Lorengar, Deutekon, Burrows, Prey, chœur et orchestre Vienne, dir. Solti (3 × Dec).
Les Noces de Figaro — Janowitz, Mathis, Troyanos, Fischer-Dieskau, chœur et orchestre Berlin, dir. Boehm (4 × DGG).
Cosi fan tutte — Monserrat-Caballé, Baker, Gedda, orchestre Covent Garden, dir. Davis (3 × Phi).
Idoménée — Shirley, Davies, Rinaldi, chœurs et orchestre BBC, dir. Davis (3 × Phi).
L'Enlèvement au Sérail ; Bastien et Bastienne — Köth, Wunderlich, chœurs et orchestre Munich, dir. Jochum (3 × DGG).
Messe en ut mineur — Soli, chœurs et orch. New Philharmonia, dir. Leppard (VsM).
Messe en ut majeur . Messe du couronnement — Soli, chœur et orch. Vienne, dir. Grossmann (Phi).
Requiem — Soli, chœur et Philharmonique Berlin, dir. Karajan (DGG).
Symphonies K. 385 Haffner . **K. 425** Linz . **K. 504** Prague . **K. 543** . **K. 550** . **K. 551** Jupiter — Orch. Columbia, dir. Bruno Walter (3 d. sép. CBS).

Concertos pour piano (intégrale) — Anda et Camerata Mozarteum (12 × DGG).

Concertos pour piano K. 238 et K. 466 — Ashkenazy et orchestre Londres, dir. Schmidt-Isserstedt (Dec).

Concertos pour piano K. 456, K. 595 — Brendel, Academy St-Martin-in-the-fields, dir. Marriner (Phi).

Concertos K. 415, K. 449, K. 488, K. 537 — M.-J. Pires, orchestre Gulbekian de Lisbonne, dir. Guschlbauer (2 d. sép. Era).

Concertos pour piano K. 459, K. 595 — Haskil et Philharmonique Berlin, dir. Fricsay (DGG).

Concertos pour piano K. 466, K. 503 — Fischer et orchestre Londres, dir. Krips (VsM).

Concertos pour violon; Symphonie concertante — Grumiaux, Pellicia et orchestre Londres, dir. Davis (Phi).

Concertos pour flûte — Rampal et orchestre Vienne, dir. Guschlbauer (Era).

Concerto pour clarinette, Concerto pour flûte et harpe — Lancelot, Rampal, Laskine et orchestre Paillard (Era).

Sérénade Haffner — Philharmonique Berlin, dir. Böhm (DGG).

Divertimenti — Ensemble Mozarteum, dir. Boskovsky (Dec).

Quintette avec clarinette, Trio avec clarinette — Deplus, Lee, Quatuor danois (Val).

Quintettes à cordes — Quatuor Amadeus et Aronowitz (3 × DGG).

Quatuors à cordes — Quatuor bulgare (7 d. sép. HM).

Six quatuors dédiés à Haydn — Quartetto italiano (3 × Phi).

Quatuors avec flûte — Lardé et quatuor danois (Val).

Divertimento K. 563 — Trio italiano (DGG).

Petite Musique de nuit, Serenata notturna — Orchestre sarrois, dir. Ristenpart (Era).

Mélodies et Lieder (seize) — Schwarzkopf et Gieseking (VsM).

Sonates pour piano — M.-J. Pires (8 × Era).

CHERUBINI 1760-1842

Medea opéra — Callas, Scotto, chœur et orch. Scala, dir. Serafin (3 × VsM).

BOIELDIEU 1775-1834

Ma tante Aurore opéra-comique — Soli, chœur et orch. ORTF dir. Couraud (Phi).

L'Age d'or de la musique pour clavecin — Puyana (Mer). Besard, L. Couperin, J.-S. Bach, D. Scarlatti, Bull, Peerson, Byrd, Philips.

Chefs-d'œuvre baroques pour clavecin — Puyana (Mer). Telemann, C.P.E. Bach, D. Scarlatti, Fischer, F. Couperin, Chambonnières, Rameau, L. Couperin.

Châteaux et cathédrales n° 2 (Sceaux) — Quatuor Larrieu (Era). Boismortier, Leclair.

Châteaux et cathédrales n° 14 *(Potsdam)* — Larrieu, Chambon, Beckensteiner (Era). C.P.E. Bach, Quantz, Graun, Frédéric Le Grand, Blavet.

Concertos pour flûtes de l'époque baroque — Ensembles, dir. Wenzinger et Baumgartner (Arc). Vivaldi, Leclair, Telemann.

Anthologie de la musique italienne pour clavecin — Sgrizzi (3 × BaM).

Clavecinistes italiens — Veyron-Lacroix (Era). Cimarosa, Clementi, Pergolesi, Galuppi, Paradisi, Marcello, Martini, Gasparini, D. Scarlatti.

138

Dates	Musique	Arts et Lettres	Histoire
1802-1885		Victor Hugo	
1803-1869	Berlioz		
1804-1814			Napoléon Ier
1808-1879		Daumier	
1810-1849	Chopin		
1810-1856	Schumann		
1810-1857		Musset	
1811-1886	Liszt		
1813-1883	Wagner		
1813-1901	Verdi		
1814-1824			Louis XVIII
1818-1893	Gounod		
1821-1867		Baudelaire	
1822-1890	Franck		
1824-1830			Charles X
1827	Mort de Beethoven		
1828	Mort de Schubert		
1830-1848			Louis-Philippe
1831		*Le Rouge et le Noir*	
1832-1883		Manet	
1833-1897	Brahms		
1839-1881	Moussorgsky		
1840-1893	Tchaïkovsky		
1844-1896		Verlaine	
1845-1924	Fauré		
1848-1852			Deuxième République
1848		Mort de Chateaubriand	
1850		Mort de Balzac	
1852-1870			Napoléon III
1854-1891		Rimbaud	
1857		*les Fleurs du Mal*	
1859	*Tristan et Iseult*		
1861-1910	Albeniz		
1862	Naissance de Debussy		
1864	Naissance de Strauss		
1869	Naissance de Roussel	Naissance de Matisse. Mort de Lamartine	
1871		Naissance de Valéry	
1870			Troisième République
1875	Naissance de Ravel		
1876	Naissance de Falla	*Le Moulin de la Galette* de Renoir	
1877	Invention du phonographe		
1882	*Parsifal* Naissance de Stravinsky		
1883		*La légende des siècles*	
1892	Naissance de Milhaud et d'Honegger		
1895		Lumière : le cinéma	

Ici l'on voudrait tout citer, l'esprit s'enflamme et telles
œuvres mineures nous sont à ce point familières que notre
imagination (ou notre cœur) en fait des chefs-d'œuvre. Et,
s'il s'agit de donner des limites chronologiques ou géogra-
phiques à ce monde nouveau peuplé de fantômes, adorables
ou terribles, la plus grande confusion règne aussitôt ; on est
même bien en peine de trouver une définition simple de la
musique « romantique ».

Certains qualifient de romantique une musique d'essence
subjective où le compositeur trahit l'inquiétude de son
esprit, les joies et les tourments de son cœur : mais alors,
seuls Beethoven, Chopin et Schumann seraient de vrais
musiciens romantiques !... car, pour les autres, la musique
semble une forme d'expérience supérieure et les boulever-
sements de leur vie privée n'affectent leur activité créatrice
que pour l'intensifier ou la ralentir. Le trait commun à toute
la musique du XIXᵉ siècle est plutôt la tendance à exprimer
les passions délicates ou violentes de toute une humanité, ou
des idées philosophiques nobles et confuses, et à subordonner
la forme à l'expression de ces passions ou de ces idées...
Encore que cette définition exclue Brahms, grand construc-
teur dont les démarches musicales sont restées indépendantes des sollicitations extérieures. Il faudra donc se résigner
à le ranger parmi les successeurs des « classiques » ; mettre
l'étiquette romantique sur ceux qui ont seulement hérité

d'un certain langage musical richement coloré, comme c'est le cas pour Brahms, conduirait à rattacher au siècle de Hoffmann bien des contemporains de la « musique électronique ».

Le début du romantisme en musique peut être situé arbitrairement dans les premières années du XIXe siècle, vers l'époque où Beethoven composa ses premières symphonies. Lorsqu'en 1808 il faisait entendre à Vienne sa « 5e » et sa *Pastorale*, trois ans après la première représentation de *Fidelio*, Weber âgé de vingt-deux ans avait déjà composé cinq opéras (sans importance) et deux symphonies (également sans importance), Schubert âgé de onze ans faisait l'émerveillement de ses maîtres à la Chapelle de la Cour à Vienne, par sa jolie voix de soprano et son extraordinaire don musical ; deux ans et demi plus tard il composait ses premiers lieder ; Berlioz n'avait que cinq ans et les autres musiciens « romantiques » n'étaient pas encore nés... Vingt ans après, Beethoven, Schubert et Weber étaient morts après avoir laissé au monde les chefs-d'œuvre que l'on sait, Berlioz terminait sa *Symphonie Fantastique*, Mendelssohn avait fait entendre sa musique pour le *Songe d'une Nuit d'été*, Schumann composait son opus 1 *(Variations Abegg)* ; Liszt, tout entier à sa carrière de jeune virtuose, avait déjà acquis comme tel une réputation internationale ; Chopin commençait aussi à se faire entendre comme virtuose et avait composé les deux *Rondos* op. 1 et op. 5 ; Verdi et Wagner étaient âgés de quinze ans et n'avaient encore pratiquement rien fait ; Gounod avait dix ans et Franck six ans. Comme on voit, Beethoven se présente comme un chef de file, sans rival possible autour de lui ; Schubert et Weber lui succèdent immédiatement et peuvent être rattachés à la première génération de musiciens romantiques ; la deuxième génération, celle du romantisme échevelé, est dominée par les noms de Berlioz, Schumann, Chopin et Liszt ; enfin viennent ceux que l'on a appelés sans raison les néo-romantiques et dont l'œuvre se prolonge jusqu'au début du XXe siècle.

Le XIXe siècle n'a pas fait d'acquisition marquante sur le plan de la forme. Mais un vent de révolte a soufflé sur les disciplines scholastiques, et la belle ordonnance classique des compositions musicales s'est trouvée bousculée par l'irrésistible fantaisie de génies tumultueux. On écrit de moins en moins de musique sur commande pour le seul plaisir d'un généreux mécène : il n'y a donc plus d'obstacle à écrire

« *Une heure avant le concert* » *(Gravure de l'époque).*

la musique comme on la sent, au gré de l'inspiration. Et l'on fait éclater ainsi, non seulement les grandes formes traditionnelles (symphonie, sonate, opéra), mais encore les genres mineurs (préludes, études, airs de danse) qui sous la plume de musiciens comme Chopin ou Liszt deviennent d'impressionnants monuments. Par contre, sur le plan du langage musical, les romantiques ont apporté à la musique un enrichissement considérable (audaces harmoniques, dissonances non résolues, libération de la servitude du majeur et du mineur, recherche du coloris orchestral par le mélange des timbres, etc.). Et si les musiciens du siècle dernier n'ont guère formé d'écoles (sauf Liszt), faute de pouvoir se soumettre eux-mêmes à une stricte discipline, ils ont légué aux musiciens de notre temps un langage que la plupart d'entre eux ont pu utiliser sans y ajouter quoi que ce soit ; il y a même dans certaines œuvres de Chopin ou Schumann et, à plus forte raison de Wagner, des audaces qui devraient faire paraître réactionnaires nombre de partitions récentes jugées violemment « modernes ».

Mieux qu'un long discours, une chronologie des chefs-d'œuvre donnera à l'amateur un aperçu général de la musique au XIXᵉ siècle.

Lithographie d'après un dessin d'Anton Wachschmann. ▶

Vue de Vienne vers 1840.

Vienne
Fin de l'âge classique et pré-romantisme.

1800 : Beethoven : 1re *Symphonie*, dans le style des symphonies de Haydn pour lesquelles il avait une profonde admiration. Le jeune maître était encore à l'époque élève de Salieri, mais il avait travaillé auparavant avec Mozart puis Haydn.

1801 : Haydn : Première audition des *Saisons* dans le palais du prince Schwarzenberg à Vienne.

1804 : Première audition de la 3e *Symphonie* de Beethoven chez le Prince Lobkowitz. Cette *Sinfonia eorica* était primitivement dédiée à Bonaparte que l'auteur considérait comme le vrai héros républicain, mais Beethoven déchira sa dédicace le jour où il apprit le couronnement de Napoléon. Cette œuvre immense marque le début de sa vraie manière. « Je ne suis pas satisfait des ouvrages que j'ai écrits jusqu'à présent, aurait-il dit à Krumpholtz ; je veux suivre désormais une voie nouvelle. » Cette décision expliquerait la différence énorme qui existe entre cette symphonie et la 2e, composée un an plus tôt dans le style de Haydn.

1805 : Première représentation de *Fidelio* à Vienne : le premier grand opéra romantique. Le public fut dérouté et l'accueil fut froid. Beethoven remania un peu sa partition et la fit jouer de nouveau avec un immense succès.

Beethoven par Karl Joseph Stieler.

LES NEUF SYMPHONIES
DE BEETHOVEN
TRADUITES PAR LA SCULPTURE

5me Symphonie en ut majeur

2me Symphonie en ré majeur

4me Symphonie en si bémol

5me Symphonie en ut mineur

6me Symphonie (Pastorale)

7me Symphonie en la majeur

8me Symphonie et fa majeur

Dans le domaine de l'art, toutes les conceptions, tous les rapprochements, fussent-ils les plus invraisemblables, sont permis. Certains voient des teintes aux notes; d'autres trouvent en elles une corrélation avec les parfums, et ils traduisent, à leur idée, ces couleurs et ces odeurs de l'harmonie.

Voici un sculpteur et des plus distingués, M. Ringel d'Illzach, qui, passionné lui aussi pour la musique, y sent des symboles aux lignes précises, évoquant spécialement le charme féminin. Il se plaît à leur donner des formes tangibles, à les faire revivre dans la glaise et le marbre.

Et c'est ainsi qu'il s'est plu à réaliser les neuf symphonies de Beethoven en neuf bustes de femmes dont nous donnons ici l'image.

Dans l'admirable suite des symphonies de Beethoven, le sculpteur a cherché à démêler l'état d'âme qui les inspira, et il a voulu traduire chacun d'eux par un visage féminin. Ces visages sont curieux à contempler, quand on connaît les œuvres symphoniques qu'ils représentent.

La première est d'une exquise fraîcheur, claire et vive, mais Beethoven n'a pas donné encore sa mesure.

La deuxième est déjà plus noble, plus énergique et et plus fière. La troisième, l'*Héroïque*, fut écrite pour fêter le souvenir de Bonaparte pour qui Beethoven avait une admiration extraordinaire. Avant d'écrire la quatrième symphonie, Beethoven traversa une longue période de découragements, d'ennuis d'argent, de chagrins intimes. Le caractère de cette musique est pourtant vif, alerte, irrésistiblement tendre, d'une douceur parfois céleste. Dans la cinquième, en *ut mineur*, Beethoven revenant à un ordre d'idées plus grave, plus conforme à la nature de son talent, semble avoir voulu peindre la lutte du génie contre la douleur et les difficultés de la vie, lutte couronnée par un radieux triomphe. La sixième, la *Pastorale*, est empreinte du sentiment le plus intime, le plus profond qui fut jamais de la nature dont Beethoven fut un admirateur fervent. La septième, en *la*, est la plus mystérieuse, la moins facile à expliquer. Wagner y voyait l'apothéose de la danse. Toute différente est la huitième, légère, aisée, en restant majestueuse, faisant une place au menuet gracieux. La neuvième fut l'œuvre capitale qui tourmenta longtemps Beethoven. Il s'était inspiré d'une poésie de Schiller qui était comme un hymne à la liberté et à la vie. Le musicien s'était isolé pour l'écrire, vivant au milieu de la campagne, songeant à « ces millions d'êtres que le monde entier confondait dans une même étreinte, et qui buvaient la joie au sein de la nature »

Ne lisons-nous pas quelques reflets de ces rêves du musicien sur ces visages symboliques de femmes que modela le sculpteur?...

HENRY DE FORGE.

Neuvième Symphonie avec chœurs

En 1827, elle est représentée à Paris : « L'ensemble et les détails m'en paraissent également beaux, écrit Berlioz ; partout s'y décèlent l'énergie, la grandeur, l'originalité et un sentiment profond autant que vrai. »

1807 : Première audition, chez le Prince Lichnowsky, de la 4e *Symphonie* de Beethoven, une des symphonies que le maître préférait, miracle de tendresse. 1807 est l'année de grande intimité avec Thérèse de Brunswick.

1808 : Première audition à Vienne des 5e et 6e *Symphonies* de Beethoven, de sa *Fantaisie* pour piano, chœur et orchestre et du 4e Concerto pour piano. Que ce prodigieux concert ait remporté un succès médiocre montre quel était le niveau du goût musical d'alors, enivré de ce qu'il y avait de moins bon dans l'opéra italien.

1812 : Agé seulement de vingt ans, Rossini fait ses débuts à la Scala avec *La Pietra del paragone* et présente la même année au théâtre S. Moisè de Venise trois autres opéras de sa composition, dont la *Scala di seta*, avec des succès inégaux.

1814 : Première audition à Vienne des 7e et 8e *Symphonies* de Beethoven. La 7e fut accueillie triomphalement et le célèbre *allegretto* fut bissé, mais, à la grande fureur de l'auteur, la 8e fut à peine remarquée.

La même année, Schubert, âgé de dix-sept ans compose dans l'ombre son premier *lied* important : *Marguerite au rouet*. Quelqu'un s'est-il aperçu alors du génie de ce garçon timide et modeste qui composait avec une facilité incroyable, avec un instinct miraculeux qui le rapproche de Mozart ?

1815 : Schubert : *Le Roi des Aulnes* (d'après Gœthe), fantastique chevauchée où un sentiment dramatique intense est traduit avec une rare sobriété de moyens et un sens extraordinaire du naturel.

1816 : Création à Rome du *Barbier de Séville*, le chef-d'œuvre de Rossini, sous la direction de l'auteur. Ce fut d'abord un insuccès total, les auditeurs ne voulant pas admettre que l'on pût s'attaquer au même livret que Paesiello (dont *le Barbier de Séville* continuait, après plus de trente ans, à remplir les salles). Mais dès la deuxième représentation, l'œuvre remporta un triomphe qui ne tarda pas à gagner toute l'Europe.

149

Extrait d'un numéro de « Musica ».

1815-1822 : Les cinq dernières sonates de Beethoven, les plus belles sonates qui aient jamais été écrites dans tous les temps... L'aigle qui refuse la défaite se réfugie toujours plus haut. Ainsi Beethoven, dont les protecteurs sont morts ou l'ont abandonné, devenu intolérant, misanthrope, obnubilé par les soucis matériels (habitué à vivre dans l'aisance, il était incapable de réduire son train de vie), achève de faire volontairement le vide autour de lui en affichant brutalement les droits de son génie. Sa misanthropie atteint jusqu'aux grands de ce monde qui s'en offusquent : fièrement il se réfugie sur les cimes de l'art où il est bien sûr de ne jamais être vaincu.

1817 : Schubert : *La Mort et la Jeune Fille,* lied dramatique entre tous dans sa simplicité : douze mesures chantées par la jeune fille qui repousse la mort, quinze mesures chantées par la mort qui s'empare de la jeune fille suffisent à créer cet indicible climat de nostalgie qui laisse rêveur longtemps après l'audition. Le thème de la mort avec sa limpide conclusion majeure (*Sei gutes Muts ! ich bin nicht wild, sollst sanft in meinen Armen schlafen !*) sera traité en variations dans le Quatuor en ré mineur, huit ans plus tard.

1821 : Première représentation à Berlin du *Freischütz* de Weber : accueil triomphal, marquant une victoire capitale d'un opéra national allemand sur la musique italienne. L'année suivante, l'œuvre est représentée à Dresde où elle bouleverse le jeune Wagner âgé de neuf ans.

1823 : Première représentation à Vienne d'*Euryanthe* de Weber, sous la direction de l'auteur avec la célèbre Henriette Sontag dans le rôle principal. Cette œuvre rompt encore plus catégoriquement avec les formules de l'opéra italien. Non seulement les héros fantastiques des vieilles légendes germaniques s'installent dès lors dans le théâtre lyrique, mais encore le choix des motifs, les trouvailles harmoniques et orchestrales permettent de voir dans *Euryanthe* la préfiguration de *Lohengrin*. A cet égard, 1823 est une grande date de l'histoire de l'opéra.

1824 : Autre très grande date : Beethoven donne à Vienne la première audition de la 9e *Symphonie* et de la *Messe en ré.* Ce fut, comme on sait, un délire d'enthousiasme. Faut-il que le génie ait soufflé pour convaincre d'emblée un public résolument hostile (comme à toutes les époques) à la musique « moderne » ! Et celle-ci bouleversait toutes les habitudes : utilisation des pires dissonances sans préparation ni résolution, introduction d'une manière de forme cyclique dans la symphonie (le thème principal de chacun des trois premiers morceaux réapparaît dans le finale) ; intervention des chœurs, génialement préparée d'ailleurs comme cela a été montré plus d'une fois ; interversion des 2e et 3e mouvements ; etc... Tout a été dit sur ce monument gigantesque qu'est la *Symphonie avec chœur*, l'œuvre de toute une vie, mais on se plaît à constater que ni la littérature publiée à son propos, ni la multiplicité de ces exécutions aussi tristement hebdomadaires que des dimanches sans soleil, n'ont pu flétrir tant soit peu le prestige de ce chef-d'œuvre où des millions d'individus continuent à découvrir les raisons de croire à la noblesse de l'espèce humaine.

Schubert est sans argent, sans amis, sans joie, volé, trompé, abandonné ; mais son génie, comme celui de Mozart, semble une émanation divine sans commune mesure avec les contingences terrestres. Il écrit la série de vingt lieder intitulée *La Belle Meunière*, vingt tendres sourires où passent quelquefois discrètement des larmes fugitives. Au moment de leur parution, on leur reprocha cette simplicité qui est l'essence de leur charme.

1825 : Schubert termine le Quatuor en ré mineur *la Jeune Fille et la Mort*, œuvre bouleversante entre toutes et l'un des plus beaux quatuors qui aient jamais été écrits.

1826 : Mendelssohn, âgé de dix-sept ans compose à Berlin l'ouverture pour le *Songe d'une Nuit d'été*, op. 21, œuvre d'une merveilleuse originalité et témoignant d'une extraordinaire maturité musicale.

Première représentation à « Covent Garden » d'*Obéron*, opéra anglais de Weber : échec auprès de la critique, triomphe auprès du public. Weber dirigea lui-même les douze premières représentations.

Beethoven : les derniers quatuors, œuvres sublimes dans leur austérité, où l'auteur savait qu'il mettait le meilleur de lui-même. Suprême gageure : il a voulu dépasser avec les quatre seuls instruments du quatuor la grandeur de son œuvre symphonique.

Funérailles de Beethoven d'après un dessin populaire.

1827 : Schubert : *le Voyage d'Hiver*, cycle de vingt-quatre lieder, ceux que Schubert aimait par-dessus tout et qui sont peut-être les plus significatifs de toute sa production.

1828 : Schubert compose sans le savoir son « chant du cygne », l'admirable Quintette en ut majeur ou apparaît (1er mouvement) un thème d'une indicible beauté qui suffirait à faire de Schubert l'un des plus grands génies de toute l'histoire de la musique :

1829 : Premier concert de Chopin à Vienne : il joue ses *Variations sur un thème de Don Juan* (op. 2) qui suscitèrent l'admiration de Schumann, et improvise.

Première représentation, à Paris, de *Guillaume Tell* de Rossini.

Franz Schubert, par Gustave Klimt.

1830-1865 - Capitales de la musique : Leipzig, Weimar

1830 : Première audition à Varsovie du *Concerto en mi mineur* de Chopin, avant le départ de celui-ci pour Paris. Tout le génie de Chopin se trouve déjà dans cette œuvre magnifique, génie qui l'apparente d'une part à Mozart

Chopin au piano (Lami).

dont il a le merveilleux instinct mélodique, d'autre part à Debussy dont il annonce les riches synthèses harmoniques.

1831 : Première représentation à Milan de la *Norma* de Bellini, avec la Pasta et la Grisi dans les rôles principaux : triomphe. Sur le plan de l'invention mélodique, c'est un des plus beaux opéras italiens du XIXᵉ siècle.

Cherubini.

1832 : Première audition de la *Symphonie Fantastique* de Berlioz au Conservatoire, sous la direction de Habeneck. Liszt assistait à ce concert et Berlioz raconte qu'il se fit remarquer de tout l'auditoire par ses applaudissements et ses enthousiastes démonstrations. Les mouvements intitulés *Un Bal* et *Marche au supplice* eurent un grand succès. Seul Cherubini, directeur du Conservatoire et ennemi du jeune Berlioz, ne fut pas content. « Eh bien, M. *Cherubini, vous ne venez pas entendre la nouvelle composition de Berlioz ?* » — « *Zé n'ai pas besoin d'aller savoir comment* il né faut pas faire ! » répondit-il *avec l'air d'un chat auquel on veut faire avaler de la moutarde. Ce fut bien pis après le succès du concert : il semblait qu'il eût avalé la moutarde; il ne parlait plus, il éternuait.* » (Berlioz : *Mémoires.*) Que Berlioz se rassure. On se moque bien aujourd'hui de M. Cherubini, mais on aime toujours un peu plus cette merveilleuse symphonie qui porte si bien son titre, exubérant tableau musical de toutes les invraisemblances capables de passer dans un cerveau d'exception.

1835 : Schumann compose le *Carnaval* op. 9, œuvre à laquelle il ne croit pas. Il faut lire la *Princesse Brambilla* pour se préparer à entendre cette suite, où l'on découvre, à travers les lunettes magiques de Hoffmann, un monde merveilleux peuplé d'arlequins et de magiciens bigarrés qui annexe Eusebius et Florestan, Chopin et Paganini et les imaginaires « compagnons de David ».

Requête de Berlioz adressée au Ministère de l'intérieur.

A Son excellence monseigneur le ministre
Secretaire d'etat de l'interieur.

Monseigneur

Je suis agé de 24 ans, j'appartiens a une
famille honorable mais nombreuse, de
La Côte St André (isère)
Je viens aprés de grands travaux, déja
encouragés par les plus honorables Suffrages,
d'obtenir le Second Grand prix au concours
de composition musicale de l'institut.
Cependant mon père epuisé par des Sacrifices
considerables ne peut plus me Soutenir a Paris;
je suis au moment d'être arreté dans ma
carriere et de perdre toutes mes esperances.
Plusieurs eleves de l'ecole des beaux

Lithographie de Devéria pour « Les Huguenots ».

1836 : Première représentation des *Huguenots* de Meyerbeer, important succès commercial. Cette musique mélange savamment les styles italien, allemand et français, et utilise toutes les meilleures recettes pour recueillir des applaudissements. Sur la plupart des scènes lyriques d'Europe, Meyerbeer vient en tête des compositeurs à succès et sa grosse fortune lui permet d'exercer sur les directeurs, les artistes et les critiques une pression qui rend impossible aux autres tout succès sérieux à l'Opéra.

Liszt, prestigieux pianiste, donne la première audition à Paris de la grande Sonate op. 106 de Beethoven qu'il exécutait comme personne. Berlioz nous donne un récit enthousiaste de ce concert.

Franz Liszt (lithographie de Devéria).

1837 : Clara Wieck, autre merveilleuse pianiste, inscrit au programme du concert qu'elle donne au Gewandhaus de Leipzig quatre des *Études Symphoniques*, chef-d'œuvre pianistique de Schumann : délicat témoignage d'amour à l'égard de celui que son père lui interdit de voir depuis deux ans. Wieck est dans la salle, Schumann aussi : le succès de ce concert ne contribua-t-il pas au rapprochement des deux jeunes gens ?

Robert Schumann (portrait anonyme).

Clara Schumann (Dresde, 1836).

Chopin par Delacroix.

1839 : Première audition posthume, sous la direction de Mendelssohn, de la *Symphonie en ut majeur* de Schubert...

1841 : A la suite d'un concert où Chopin avait joué ses *Préludes*, Liszt écrit dans la *Gazette Musicale* : « *... ce sont des préludes poétiques analogues à ceux d'un grand poète contemporain, qui bercent l'âme en songes dorés et l'élèvent jusqu'aux régions idéales. Admirables par leur diversité..., tout y semble de premier jet, d'élan, de soudaine venue. Ils ont la libre et grande allure qui caractérise les œuvres de génie.* »

Représentation de « Rienzi » à Dresde le 20 octobre 1842
(« Leipziger illustrierte Zeitung »).

1842 : Première représentation à Dresde de *Rienzi* de Wagner. Le jeune maître hésite encore sur sa voie et subit l'influence de l'opéra italien. Mais il écrit à cette époque : « Si je composais un opéra selon mon sentiment, il mettrait en fuite le public, car il ne renfermerait ni duos, ni trios, ni aucun de ces morceaux qu'on coud ensemble aujourd'hui tant bien que mal pour en faire un opéra. »

1843 : Première représentation à Dresde du *Vaisseau Fantôme*, la première œuvre véritablement « wagnérienne » de Wagner : demi-échec auprès d'un public qui attendait un nouveau *Rienzi* au lieu d'une œuvre diamétralement opposée. Cet opéra montre déjà la voie qui mène à *Parsifal* : le compositeur se fait librettiste pour assurer l'union profonde de la trame musicale et de la trame poétique ; tout concourt déjà à l'unité dramatique ; les successions de récitatifs et d'airs

Le Belvédère à Dresde en 1845 (gravure de I. C. A. Richter).

à ritournelles font place à un long chant largement déclamé, l'orchestre prend part à l'action (exemples de ce que sera le *leit-motiv*) ; la légende populaire s'élève au niveau du mythe sacré.

1845 : Première représentation de *Tannhäuser* à Dresde. Le grand drame wagnérien dans toute sa splendeur est né. Il n'y eut pas de triomphe, mais un succès durable en profondeur, car ce drame agit sur les foules par son caractère religieux primitif.

1846 : Première audition à Birmingham de l'oratorio *Élie* de Mendelssohn, œuvre qui appartient, depuis, au grand répertoire anglais et inaugure un genre de composition chorale de vaste envergure qui constitue, jusqu'à nos jours, le plus représentatif de la production musicale britannique.

Lithographie de Sorrieu pour la « Damnation de Faust » (1854).

1846 : Première représentation de la *Damnation de Faust* de Berlioz à l'Opéra-Comique (!!) devant une demi-salle somnolente. « *Rien dans ma carrière d'artiste*, écrit Berlioz, *ne m'a plus profondément blessé que cette indifférence inattendue.* »

Berlioz, lithographie de Baugnier.

1848 : Dernier concert de Chopin à Londres, l'année avant sa mort. Il est âgé de trente-neuf ans. Ce génie extraordinaire, que l'on ne peut comparer qu'à Mozart, donne l'impression d'avoir tout dit dans sa courte vie. Son œuvre est d'une étonnante variété et une certaine littérature à bon marché lui fait le plus grand tort en n'y voyant qu'un aspect frêle, maladivement sentimental. George Sand avait fortement contribué à créer autour de son « Chopinet », de son « cher malade » ce mythe ridicule et niais du poète agonisant devant son piano, pleurant de chagrin ou pleurant de tendresse, mais toujours pleurant. Quoi de plus fort et de plus radieux que la somptueuse *Barcarolle*, quoi de plus violemment dramatique que la *Fantaisie*, la *Sonate « Funèbre »* ou le 13ᵉ *Nocturne* en ut mineur ? Et quoi de plus éloigné d'une publicité vulgaire que cet art de la discrétion et de la pureté ? Quant au recueil des *Études* et surtout celui des *Mazurkas*, vrai Conte des Mille et une Nuits de la musique, ce sont les sources intarissables de toutes les expressions possibles de l'âme humaine. Le triomphe de Chopin est d'être resté inimitable. C'est aussi d'avoir touché comme personne le

Quatuor de « Rigoletto » (gravure de l'époque).

cœur des foules ; et s'il est répréhensible d'avoir placé sur l'*Étude en mi majeur* des paroles d'une vulgarité peu commune *(Tristesse)*, il n'en reste pas moins que l'homme de la rue, à Paris, comme à New-York, possède à son répertoire, grâce à Chopin, une des plus belles mélodies qui ait existé.

Première audition à Zwickau de la *Première symphonie* et du *Concerto pour piano* de Schumann (Clara au piano, Robert au pupitre de chef). Au même concert, la célèbre cantatrice suédoise Jenny Lind chante quelques *lieder* et recueille tout le succès. Le sublime *Concerto* passa presque inaperçu.

1850 : Création de *Lohengrin* à Weimar. Sur le plan de la concise perfection des lignes, de l'élévation des sentiments, c'est peut-être ici que Wagner est à son sommet.

1851 : Première représentation à Venise (Fenice) du *Rigoletto* de Verdi. C'est le début de la renommée de ce maître qui fut toujours ou trop loué ou injustement méprisé. Exact contemporain de Wagner, il eut en Italie un rayonnement comparable à celui de son grand rival en Allemagne.

Représentation de « Lohengrin » (Ier acte) à Weimar (1850).

1853 : Première audition à Leipzig de la 4e *Symphonie en ré mineur* de Schumann, son plus vaste chef-d'œuvre symphonique.

Première représentation à Venise (Fenice) de *la Traviata* de Verdi. Grand succès dû pour la plus grande part à la magnifique scène finale (la mort de Violetta).

Liszt compose sa grande *Sonate pour piano*. « La beauté de cette sonate dépasse toute imagination, lui écrit Wagner. Elle est grande, affable, profonde, noble, sublime comme toi. Elle a remué les profondeurs de mon être. »

1855 : Première audition à Weimar du *Concerto en mi bémol* de Liszt (soliste : l'auteur. Direction : Hector Berlioz !)

1859 : Première audition à Hanovre du 1er *Concerto* de Brahms, jeune compositeur de vingt-six ans, encore inconnu malgré un article enthousiaste (paru quelques années auparavant) du clairvoyant Schumann.

Première représentation au Théâtre-Lyrique du *Faust* de Gounod. La musique en fut jugée obscure et compliquée. Berlioz (sans rancune pour un compositeur qui s'attaquait à « son » Faust) loua, dans un célèbre article du *Journal des Débats*, cette œuvre qui libérait enfin le théâtre lyrique français de la tutelle de Meyerbeer.

1863 : 1re représentation au Théâtre-Lyrique des *Troyens à Carthage*, le chef-d'œuvre de Berlioz. Cette partition admirable (2e volet d'un gigantesque diptyque intitulé *Les Troyens*) ne fut imprimée qu'en 1900... et en Allemagne.

**Rayonnement de Münich et Bayreuth.
Renaissance des écoles nationales.**

1865 : Première exécution posthume de la *Symphonie Inachevée* de Schubert.

Création à Münich de *Tristan et Iseult*, œuvre unique, révolutionnaire, et qui le serait encore si elle était composée de nos jours. Cet extraordinaire poème de l'Amour et de la Mort éclaire étonnamment le sens de ces vers de Leopardi :

> *Fratelli, a un tempo stesso, Amore e Morte
> Ingeneró la sorte.
> Cose quaggiù si belle
> Altre il mondo non ha, non han' le stelle.*

(L'Amour et la Mort sont frères et furent engendrés ensemble. Des choses aussi belles ne se trouvent ni en ce monde ni dans les étoiles.)

Wagner est conscient de son trait de génie : « *Tristan* est et reste pour moi un miracle. Comment ai-je pu faire quelque chose de semblable, je le comprends de moins en moins : en relisant, il me faut rester bouche bée ! »

◄ *Page de titre du manuscrit des « Troyens ».*

1866 : Première audition à Prague de *La Fiancée Vendue* de Smetana, l'un des spectacles les plus gais, les plus spirituels, les plus variés qui soient. C'est une synthèse, intelligente et de bon goût, de ce qu'il y a de meilleur dans l'opéra-bouffe italien et dans l'opéra allemand, le tout agrémenté de folklore tchèque.

1867 : Première audition à Vienne du *Beau Danube Bleu* de Johann Strauss.

Exposition universelle à Paris. Pour rehausser les programmes de l'Opéra, le gouvernement français commande à Verdi, alors à l'apogée de sa gloire, le *Don Carlo* (livret français de Méry et Du Locle, d'après Schiller).

1868 : Première représentation à Munich des *Maîtres Chanteurs* de Wagner, sorte de drame satirique, au centre duquel le personnage de Hans Sachs constitue l'une des plus magnifiques créations à la fois musicale et dramatique de Wagner : symbole du renoncement et de l'héroïsme silencieux, il ne se départit pas de sa sympathique bonhomie ; seule la musique nous conduit au plus profond de son âme mélancolique.

Première audition du *Requiem Allemand* de Brahms. C'est de ce jour glorieux que date le succès du compositeur. Il dirigea lui-même cette œuvre magnifique (à laquelle manquait encore le cinquième mouvement) dans la cathédrale de Brême, où se pressaient de nombreux musiciens, dont Joachim et Clara Schumann.

1869 : Borodine commence à composer le *Prince Igor*, terminé après sa mort par Rimsky-Korsakov et Glazounov.

1871 : Première représentation d'*Aïda*, la première grande partition vraiment digne du génie de Verdi.

Saint-Saëns, Franck, Lalo, Massenet, Bizet, Duparc, Fauré et quelques autres fondent la Société Nationale avec cette devise : *Ars Gallica*. C'est le début d'un magnifique renouveau de la musique française qui mène à Debussy et Ravel.

1872 : Première représentation, sur la scène du Vaudeville de l'*Arlésienne* d'Alphonse Daudet avec la musique de Bizet, miracle de simplicité, de naturel, de goût dans l'invention mélodique :

Que faisait ce musicien discret et mystérieux (on connaît très mal sa vie et sa personnalité) dans un siècle, génial sans doute, mais un tant soit peu enclin aux boursouflures.

1874 : Première représentation à Saint-Pétersbourg de *Boris Godounov* dans sa version originale : une des cinq grandes dates de l'histoire de l'opéra (les autres étant l'*Orfeo, Don Giovanni, Tristan, Pelléas et Mélisande*), dates de très grandes acquisitions. Moussorgsky renouvelle complètement le genre lyrique non seulement par la création d'un récitatif nouveau aussi original que l'était celui de Monteverdi, non seulement par ses étonnantes trouvailles mélodiques, mais encore par le choix des sujets. Il s'intéresse à deux aspects de l'humanité qui n'occupaient jusqu'alors qu'une place secondaire dans la production lyrique : le peuple et les enfants. *Boris Godounov* est le plus souvent connu dans la version révisée par Rimsky-Korsakov et c'est un grand dommage : l'œuvre est ainsi plus « civilisée », l'orchestration y est sans doute plus brillante et plus raffinée, mais elle perd de son naturel, de sa brutalité primitive, et, ce qui est plus grave, elle a subi des interversions et coupures de scènes (notamment celle où Boris rencontre l'Innocent) infiniment regrettables. Moussorgsky est mort seul dans un hôpital militaire ; sur sa table de chevet se trouvait le *Grand Traité d'Instrumentation et d'Orchestration* de Berlioz.

1875 : Inauguration de l'Opéra de Paris. Sur scène : extrait d'opéras à la mode sans importance. Dans la salle : têtes couronnées et gens illustres.

Première représentation de *Carmen* à l'Opéra-Comique. On trouvera page 252 un exemple des absurdités qui ont été dites ou écrites à l'occasion de cette mémorable « première ». Ce petit chef-d'œuvre, parfait d'un bout à l'autre, fut victime d'un échec retentissant. Tout s'était mis de la partie : le public médiocre, l'interprétation détestable, les bonnes dames-choristes vertes de dégoût d'avoir à fumer des cigarettes en se dandinant en mesure, le batteur qui, comptant mal ses pauses, flanqua deux formidables coups de grosse caisse au milieu d'un pianissimo de Micaëla, etc. Peu après, Debussy avoue avoir pleuré en se chantant *Carmen* et Nietzsche y trouve la révélation musicale de sa vie... « *ce que nous autres Alcyoniens regrettons (de ne pas trouver) chez Wagner : la gaya scienza ; les pieds légers ; l'esprit ; le feu, la grâce ; la grande logique ; la danse des étoiles ; l'insolente spiritualité ; les frissons de lumière du Midi ; la mer unie - la perfection...* »

LES FÊTES DE BAYREUTH
MUSIQUE DE L'AVENIR

1876 : Inauguration du Théâtre de Bayreuth avec la Première représentation de l'*intégrale* de la *Tétralogie* (successivement : l'*Or du Rhin*, prologue ; *la Walkyrie ; Siegfried ; le Crépuscule des Dieux*) en présence de Louis II de Bavière, de l'empereur Guillaume Ier et de tout ce que l'Europe comptait de personnalités musicales. Cette œuvre immense, géniale au sens le plus monstrueux du terme, est le plus gigantesque édifice qui ait jamais été élevé par un musicien ou un dramaturge. L'indifférence est impossible devant l'exceptionnelle force du sujet et la splendeur des moyens musicaux mis en œuvre.

179

Caricature de Pie-Panthère dans le « Scapin » (1876).

Brahms par J.-J. Bonaventure-Laurens.

Première audition de la *Première Symphonie* de Brahms. L'auteur, célèbre dans toute l'Europe, était âgé de quarante-trois ans. Ses amis ont prétendu que cette symphonie était pratiquement terminée depuis quatorze années, mais que l'auteur ébloui par le génie de Beethoven n'osait pas présenter une œuvre de ce genre après lui. Combien de chefs-d'œuvre n'ont peut-être pas vu le jour du fait de cette excessive modestie !

1877 : Première représentation à l'Opéra-Comique de l'*Étoile* de Chabrier, partition pleine de verve et de trucu-lence, par quoi ce wagnérien fervent a donné une arme précieuse à la réaction anti-wagnérienne du début de notre siècle.

Première représentation à Weimar de *Samson et Dalila* de Saint-Saëns sur l'initiative de Liszt. Fauré assistait à la représentation. Cet opéra, l'un des chefs-d'œuvre du théâtre musical français, attendit jusqu'en 1892 pour être représenté à l'Opéra de Paris.

1878 : Inauguration des grandes orgues du Trocadero, pour lesquelles Franck compose sa *Pièce Héroïque.*

Première audition à Boston du premier *Concerto de piano* de Tchaïkowsky. Peu après il fut joué à Saint-Pétersbourg par Rubinstein qui devait mener ce concerto à la gloire.

1879 : Franck termine ses *Béatitudes*, une œuvre magnifique que l'on a persisté curieusement à ignorer depuis cette date.

1881 : Chabrier compose son chef-d'œuvre : les *Pièces Pittoresques*, qui sont données la même année à la « Société Nationale ». Après le concert, Franck déclara : « Nous venons d'entendre quelque chose d'extraordinaire. Cette musique relie notre temps à celui de Couperin et Rameau. » En plein wagnérisme, ce merveilleux petit recueil renoue avec les meilleures traditions de la musique française, nous invite à rire et à rêver tout ensemble, contribuant à délivrer le monde du préjugé de la « Grande Musique ».

Première audition du *Quatuor à cordes* de Richard Strauss, jeune inconnu de dix-sept ans.

1882 : Première représentation à Bayreuth de *Parsifal*, sous la direction de l'auteur. Cette œuvre, que certains considèrent comme le chef-d'œuvre de Wagner, est un véritable chant du cygne d'une tristesse infinie, mais illuminé çà et là par une vision sublime de résurrection. La musique en est désincarnée, surnaturelle et laisse l'auditeur stupéfait par son étrange beauté.

Le jardin enchanté de Klingsor (Bayreuth, 1882).

1884 : Première représentation de *Manon* à l'Opéra-Comique. C'est peut-être l'œuvre la plus réussie de Massenet.

Première audition à Leipzig de la 7ᵉ *Symphonie* de Bruckner sous la direction du grand chef Arthur Nikisch ; belle et grandiose composition de proportions inaccoutumées, tant par la durée de l'œuvre que par l'importance de l'orchestre.

1885 : *Variations Symphoniques* de Franck, son chef-d'œuvre.

Première audition de la 4ᵉ *Symphonie* de Brahms, sa plus belle œuvre symphonique, sous la direction de H. von Bulow : ce fut un triomphe. R. Strauss qui assistait à la répétition générale en reçut une impression décisive.

Première représentation des *Contes d'Hoffmann* d'Offenbach à l'opéra-comique, cinq ans après la mort du compositeur. L'ouvrage fut représenté plus de cent fois en un an.

1886 : Dernier concert de Liszt, à Rome.

Première audition de la *Symphonie avec orgue* de Saint-Saëns dédiée « à la mémoire de Franz Liszt », qui fut pour lui un maître et un ami admiré entre tous [1].

---

1. Étrange dédicace, car Liszt n'est mort que quelques mois plus tard.

Fantaisie brillante sur Liszt.
(« La Vie Parisienne », 3 avril 1886).

1887 : Publication des *Sarabandes* de Satie, qui annoncent curieusement, quatorze ans à l'avance, avec leurs successions d'accords de neuvième, la *Sarabande* de Debussy, dans *Pour le piano*...

Première audition chez Lamoureux de la *Symphonie pour orchestre et piano sur un chant montagnard français*, de Vincent d'Indy, alors âgé de trente-six ans, ardent admirateur de Franck son maître, et futur fondateur de la *Schola Cantorum*.

Première représentation à Milan d'*Otello* de Verdi.

1888 : Première audition à la Madeleine du *Requiem* de Fauré ; cette œuvre merveilleuse lui fit la réputation qu'il méritait, mais il restait mal compris (il l'est toujours) en dehors de nos frontières. Quelques années plus tôt, Liszt, très étonné par la célèbre *Ballade* pour piano et orchestre, au style si peu romantique et aux harmonies si nouvelles, déclarait cette musique « trop difficile »...

1888-1896 : Composition des *lieder* de Hugo Wolf, ce qui a été écrit de plus remarquable dans le genre depuis Schubert et Schumann.

1888 : Première représentation à l'Opéra-Comique du *Roi d'Ys* de Lalo, œuvre claire et vivante dans les meilleures traditions françaises.

1889 : Première audition à Weimar du poème symphonique *Don Juan* de Richard Strauss, le dernier grand romantique allemand. Il y a dans les poèmes symphoniques de Strauss un peu de la généreuse inspiration lisztienne, mais Liszt est épique tandis que Strauss est descriptif.

Première audition à Budapest de la 1re *Symphonie* de Mahler sous la direction de l'auteur (chef d'orchestre extraordinaire) : musique étonnamment originale dans son désordre et qui eut une profonde influence sur l'œuvre de Schönberg.

Gustave Mahler.

Première audition de la *Symphonie* de Franck aux concerts du Conservatoire : les abonnés la trouvent ennuyeuse et Gounod déclare que, dans cette œuvre, « l'affirmation de l'impuissance est poussée jusqu'au dogme ».

Rimsky-Korsakov dirige à Paris (dans le cadre de l'Exposition) deux concerts de musique russe qui font sensation.

1890 : Première audition à Eisenach de *Mort et Transfiguration* de Richard Strauss.

1894 : Première audition à la Société Nationale du *Prélude à l'Après-midi d'un faune* de Debussy, première manifestation de cette sorte de symbolisme musical que l'on a appelé si improprement « impressionnisme ». Cette œuvre, pourtant révolutionnaire dans sa conception, obtint un tel succès qu'il fallut la jouer deux fois : le public ne s'était pas aperçu de l'audace des modulations, mais avait été séduit par la nouveauté des combinaisons orchestrales.

1895 : Première audition à Cologne du chef-d'œuvre de Richard Strauss : *Till Eulenspiegel*. Debussy entend cette œuvre à Paris sous la direction de Nikisch et en donne une savoureuse description : « ... *On a envie de rire aux éclats ou de hurler à la mort, et l'on s'étonne de retrouver les choses à leur place habituelle ; car si les contrebasses soufflaient à travers leurs archets, si les trombones frottaient leurs cylindres et si l'on retrouvait M. Nikisch assis sur les genoux d'une ouvreuse, il n'y aurait là rien d'extraordinaire. Cela n'empêche nullement que ce morceau ne soit génial par certains côtés et d'abord par sa prodigieuse sûreté orchestrale et le mouvement frénétique qui nous emporte du commencement à la fin.* » Cette œuvre était évidemment aux antipodes de l'esthétique et des sentiments debussystes.

1896 : Première représentation à Turin de *la Bohème* de Puccini.

1897 : *L'Apprenti Sorcier* de Paul Dukas.

Première représentation de *Fervaal* de V. d'Indy, au Théâtre de la Monnaie à Bruxelles. Accueil enthousiaste.

1900 : Première représentation à Rome de la *Tosca* de Puccini : c'est la fin d'une époque...

Première représentation à l'Opéra-Comique de *Louise* de Charpentier : c'est le petit commencement d'une autre...

184

Puccini revenant de la chasse
(« Musica »).

Cette époque qui commence est essentiellement non-conformiste, comme le fut l'*Ars Nova* au XIVᵉ siècle. On se défend d'être romantique et cette épithète est de plus en plus déconsidérée. En revanche, on ne déteste pas prendre un air faussement canaille pour oublier l'héroïsme dont on était abreuvé et scandaliser le public *fashionable* (mot anglais employé par les gens à la page, au siècle dernier) ; attitude d'ailleurs très romantique quand on y songe et dont *Louise* est une naïve manifestation. En France, *Tannhäuser* avait été écrasé par de stupides mots d'ordre, mais, de toutes façons, le sublime wagnérien ne pouvait que susciter la dérision dans une société prosaïque, occupée d'affaires et de plaisirs futiles.

De plus, le positivisme, qui s'applique au raffinement de la forme et permet à une pensée non contrôlée de glisser tout ce qu'elle veut derrière les mots, puis le symbolisme, né de l'annexion par le positivisme de l'inconnaissable, « cette réalité supérieure qui se dérobe », trouvent un écho chez les compositeurs (avec le décalage habituel d'une vingtaine d'années entre poésie et musique).

Tout cela, joint au souci de renouer avec les traditions, donne naissance à la prodigieuse école française qui dominera le monde musical.

Affiche pour « Louise » (1900),
lithographie de G. Rochegrosse.

Une leçon de Chant dans un Pensionnat de Demoiselles.

MÉTHODE COMPLÈTE DE CHANT

Dédiée à son Élève, Mademoiselle

Clotilde Coreldi

Prima Donna des Théâtres I. & R. de Milan et de Naples,

PAR

ALEXIS DE GARAUDÉ,

Professeur de Chant à l'École Royale de Musique, de la Chapelle du Roi, &.

Œuv. 40.   **Prix 40.**

La PREMIÈRE PARTIE se vend séparément 24.ᶠ Elle contient tous les PRÉCEPTES DE L'ART DU CHANT ET DE LA VOCALISATION, 20 LEÇONS OU VOCALISES ÉLÉMENTAIRES avec accompagnement de PIANO, pour servir d'Étude particulière des divers embellissemens du Chant, &.ᵃ

La SECONDE et la TROISIÈME PARTIE réunies se vendent séparément 24.ᶠ Elles contiennent 23 Grandes VOCALISES ou MORCEAUX DE CHANT SANS PAROLES, de tous les styles et caractères, selon l'École moderne Italienne, avec Accompagnement de Piano; LA MANIÈRE D'ORNER UN MORCEAU DE CHANT, et 8 VOCALISES, destinées à servir d'Exercices à cet égard.

Cette MÉTHODE et les SOLFÈGES du même Auteur, sont en usage dans les principaux Conservatoires d'Italie, et de France.

A PARIS, Rue de Cléry, N.º 27, Chez M.ʳ VAILLANT, Éditeur des divers Ouvrages de M.ʳ A. DE GARAUDÉ.
et Chez les principaux M.ᵈˢ de Musique de France, et des Pays Étrangers.

DISCOGRAPHIE

BEETHOVEN 1770-1827

Symphonies n°s 1 . 2 — Orch. Philharmonique Berlin, dir. Karajan (DGG).

Symphonie n° 3 — Orch. Philharmonique Berlin, dir. Karajan (DGG). — Orch. philharmonique Vienne, dir. Furtwängler (VsM).

Symphonie n° 4 — Orch. Philharmonia, dir. Klemperer (VsM).

Symphonie n° 5 — Orch. Philharmonia, dir. Klemperer (VsM).

Symphonie n° 6 — Orch. Columbia, dir. Bruno Walter (CBS) ou Orch. Philharmonia, dir. Karajan (DGG).

Symphonie n° 7 — Orch. philharmonique Berlin, dir. Karajan (DGG) — Philharmonie tchèque, dir. Kletzki (Val).

Symphonie n° 8 — Orch. Philharmonia, dir. Klemperer (VsM) — Orch. Columbia, dir. B. Walter (CBS).

Symphonie n° 9 — Sutherland, Horne, King, Talvela, chœur et orch. Vienne, dir. Schmidt-Isserstedt (Decca) — Schwarzkopf, Hongen, Hopf, Edelman, chœur et orch. Bayreuth, dir. Furtwängler (2 × VsM).

Ouvertures **(Coriolan, Fidelio, Leonor III, Egmont)** — Orch. Lamoureux, dir. Markévitch (DGG).

Fidelio — Nilsson, McCracken, Sciutti, chœur et orch. philharmonique Vienne, dir. Maazel (2 × Decca).

Missa solemnis — Janowitz, Ludwig, Wunderlich, Berry, chœurs et orch. philharmonique Berlin, dir Karajan (2 × DGG).

Cinq Concertos pour piano — Brendel et Philharmonique Londres, dir. Haïtink (5 × Phi).

Concerto pour piano n° 5 — Fischer et orch. Philharmonia, dir. Furtwängler (VsM).

Concerto pour violon — Oïstrakh et orch. National, dir. Cluytens (VsM).
Sonates pour piano — Kempff (DGG) — Nat (DF) — Brendel (Phi).
Cinq dernières Sonates — Pollini (3 × DGG).
Variations Diabelli — Brendel (Phi).
Sonates pour violon et piano — Oïstrakh et Oborine (5 × CdM).
Sonates et variations pour violoncelle et piano — Fournier et Kempff (3 × DGG).
Trios et **Variations pour piano, violon, violoncelle** — Beaux-Arts Trio (4 × Phi).
Quatuors à cordes (intégrale) — Quatuor Végh (3 + 3 + 4 × BaM).
Trois quatuors à cordes op. 59 (à Rasoumovsky) — Quatuor Amadeus (2 × DGG).
Les derniers quatuors (10 à 17e) — Quartetto Italiano (5 d. sép. Phi).
13e quatuor op. 130 (vers. orig. avec Grande Fugue) — Quatuor La Salle (DGG).
Lieder — Fischer-Dieskau et Demus (3 × DGG).

PAGANINI 1782-1840

Concertos de violon nos 1 . 2 — Menuhin et Royal Philharmonic Orch. dir. Erede (VsM).
Caprices (24) pour violon solo — Pikaisen (2 × CdM).

WEBER 1786-1826

Der Freischütz — Seefried, Wächter, Streich, chœur et orch. bavarois, dir. Jochum (2 × DGG).
Euryanthe — Soli, chœur et orchestre Dresde, dir. Janowski (4 × VsM).
Oberon — Nilsson, Domingo, Prey, chœurs et orchestre bavarois, dir. Kubelik (3 × DGG).
Ouvertures (six) — Orchestre Radio bavaroise, dir. Kubelik (DGG).

ROSSINI 1792-1868

Il Barbiere di Siviglia — Berganza, Prey, Alva, London Symphony, dir. Abbado (3 × DGG).
La Cenerentola — Berganza, Alva, Capecchi, London Symphony, dir. Abbado (3 × DGG).
Guillaume Tell — Gedda, M.-Caballé, Bacquier, Ambrosian singers et Philharmonique Londres, dir. Gardelli (5 × VsM).
Semiramis — Sutherland, Horne, chœur et orch. Londres, dir. Bonynge (3 × Decca).
Signor Bruschino — Soli et orch. Milan, dir. Gerelli (Vox).
Six Ouvertures — Orch. NBC, dir. Toscanini (RCA).
Les Péchés de ma vieillesse — Ciccolini (VsM).

SCHUBERT 1797-1828

Messes en la bémol et mi bémol — Soli, chœurs et orchestre Dresde, dir. Sawallisch (2 × Phi).
Symphonies (intégrale) — Orchestre symph. Dresde, dir. Sawallisch (5 × Phi).
Rosamunde (intégrale) — Chœur et orchestre Vienne, dir. Münchinger (Dec).
Quintette à cordes — Quatuor Weller et Gurtler (Dec).
Quintette la Truite — Serkin et ensemble Marlboro (CBS).
Quatuor la Jeune fille et la Mort — Melos quartett (DGG).
Quatuor en sol majeur — Quatuor Amadeus (DGG).
Quatuors en sol mineur et la mineur — Quatuor Aban Berg (Tel).
Trios n°s 1 et 2 — Rubinstein, Szeryng, Fournier (2 × RCA).
Fantaisie Wanderer; **Sonate en si bémol** — Brendel (Phi).
Sonate en ré majeur; seize Danses allemandes — Brendel (Phi).
Sonate en si bémol — Kempff (DGG).
Sonates et Impromptus (intégrale) — Lee (2 × 5 Val).
Chœurs — Suddeutscher Madrigalchor, dir. Gônnenwein (Vox).
Lieder (seize) — Ameling et Baldwin (Phi).
Lieder — Fischer-Dieskau, Moore (25 d. en 2 albums et d. sép. DGG).
Lieder (douze) — Schwarzkopf, Fischer (VsM).
Lieder (vingt-six) — Baker, Moore (2 × VsM).
La Belle Meunière — Schreier, Olbertz (DGG).
Voyage d'hiver; Chant du cygne — Fischer-Dieskau, Moore (4 × DGG).

DONIZETTI 1797-1848

Elisir d'amore — Cotrubas, Domingo, chœurs et orchestre Covent Garden, dir. Pritchard (2 × CBS).
Lucia di Lammermoor — Sutherland, Cioni, Merrill, Siepi, chœur et orch. Sa. Caecilia, dir. Pritchard (3 × Decca).
Don Pasquale — Corena, Oncina, Sciutti, Krause, orch. Opéra Vienne, dir. Kertesz (2 × Decca).

BELLINI 1801-1835

La Norma — Sutherland, Horne, Alexander, Cross, chœur et orch· Londres, dir. Bonynge (3 × Decca).
La Somnambula — Sutherland, Corena, Monti, chœur et orch. du Mai florentin, dir. Bonynge (3 × Decca).
Beatrice di Tenda — Sutherland, Pavarotti, chœur et orch. Londres, dir. Bonynge (3 × Decca).

BERLIOZ 1803-1869

Les Troyens — Vickers, Veasey, chœurs et orchestre Covent Garden dir. Davis (5 × Phi).
Béatrice et Bénédict — Soli, chœurs et orchestre Londres, dir. Davis (2 × OL).
L'Enfance du Christ — Soli, chœur et orch. Londres, dir. Davis (3 × Phi).
Requiem — Chœurs et orch. Radio bavaroise, dir. Münch (2 × DGG).
La Damnation de Faust — Soli, chœur et orch. Boston, dir. Münch (3 × RCA).
La Symphonie fantastique — Orchestre de Paris, dir. Münch (VsM).

Roméo et Juliette — Soli, chœur et orch. Londres, dir. Davis (2 × Phi).
Harold en Italie — Barchaï et orch. Moscou, dir. Oïstrakh (CdM).

MENDELSSOHN 1809-1847

Elias — Soli, chœur et orch. Leipzig, dir. Sawallisch (3 × Phi).
Le Songe d'une nuit d'été — Soli, chœur et orch. bavarois, dir. Kubelik (DGG).
Symphonies intégrale — New Philharmonia, dir. Sawallisch (4 × Phi).
Symphonies pour cordes (trois) — Ensemble St. Martin-in-the-Fields, dir. Marriner (Argo).
Concerto pour violon — Oïstrakh et orch. Moscou, dir. Kondrashine (Mus).

CHOPIN 1810-1849

Concerto n° 1 en mi min. — Rubinstein et orch. Londres, dir. Skrowaczewski (RCA).
Concerto n° 2 en fa min. — Vasary et orch. philharmonique Berlin, dir. Kulka (DGG).
Mazurkas (51) — Rubinstein (3 × RCA).
Nocturnes (19) — Rubinstein (2 × RCA) — Vasary (2 × DGG).
Préludes (24) — Argerich (DGG). — Pollini (DGG).
Valses (14) — Rubinstein (RCA) — Anievas (VsM).
Barcarolle . Fantaisie . Berceuse — Rubinstein (RCA).
Quatre Ballades — Vasary (DGG) — Rubinstein (RCA).
Études (24) — Samson François (VsM) — Pollini (DGG).
Polonaises . Impromptus — Rubinstein (2 × RCA).
Quatre Scherzos — Vasary (DGG). — Rubinstein (RCA).
Sonates n°s 2 . 3 — Kempff (Decca) — Rubinstein (RCA).

SCHUMANN 1810-1856

Le Paradis et la Peri — Soli, chœur et orchestre Dusseldorf, dir. Czyz (2 × VsM).
Symphonies (quatre) — Philharmonique Vienne, dir. Solti (2 d. sép. Dec).
Concerto pour piano — Richter et orch. Varsovie, dir. Rowicki (DGG).
Concerto de violoncelle — Rostropowitch et orchestre Leningrad, dir. Rozhdestvensky (DGG).
Sonate en sol mineur . Carnaval de Vienne . Papillons — Richter (VsM).
Fantasiestücke . Carnaval op. 9 — Rubinstein (RCA).
Fantaisie . Davidsbündler — C. Collard (Era).
Davidsbündler . Papillons — Kempff (DGG).
Frauenliebe und Leben — K. Ferrier (Decca).
Liederkreis op. 24 . Dichterliebe — Fischer-Dieskau, Demus (DGG).

Liederkreis op. 39 . **Huit Lieder** — Souzay, Baldwin (Phi).
Quatuors à cordes op. 41 — Quatuor bulgare (2 × HM).

LISZT 1811-1886

Christus — Soli, chœur et orchestre Budapest, dir. Forrai (3 × Hun).
Messe hongroise du couronnement — Soli, chœur et orch. Budapest, dir. Ferencsik (DGG).
Messe de Gran — Soli, chœur et orch. Budapest, dir Ferencsik (DGG).
Faust-Symphonie . Les Préludes — Chœur et orch. Budapest dir. Ferencsik (2 × DGG).
Deux Concertos — Richter et orch. Londres, dir Kondrachine (Phi).
Œuvre pour piano (intégrale). — F. Clidat (6 × 4 Vég).
Rhapsodies hongroises (quinze) — Cziffra (3 × VsM).
Études d'exécution transcendante — Berman (VsM).
Sonate — Berman (VsM) — Horowitz (CBS).

WAGNER 1813-1883

Le Vaisseau fantôme — Adam, Silja, chœur et orch. New Philharmonia, dir. Klemperer (3 × VsM).
Tannhaüser — Holf, Fischer-Dieskau, Frick, Wunderlich, chœur et orch. opéra Berlin, dir. Konwitschny (4 × VsM).
Lohengrin — Thomas, Ludwig, Fischer-Dieskau, Frick, chœur et orch. Vienne, dir. Kempe (5 × Ang).
Tristan et Isolde — Vickers, Dernesch, Ludwig, chœur et Philharmonique Berlin, dir. Karajan (5 × VsM).
Tristan et Isolde — Nilsson, Windgassen, Ludwig, Wächter, chœurs et orchestre Bayreuth, dir. Boehm (5 × DGG).
Der Ring des Nibelungen — Nilsson, Rysanek, Windgassen, Neidlinger, Greindl, orchestre Bayreuth, dir. Boehm (3 + 4 + 4 + 5 × Phi).
Der Ring des Nibelungen — Dernesch, Crespin, Dominguez, Fischer-Dieskau, Kelemen, chœur et Philharmonique Berlin, dir. Karajan (3 + 5 + 5 × DGG).
Les Maîtres Chanteurs — Adam, Kollo, Donath, Evans, chœurs et orchestre Dresde, dir. Karajan (5 × VsM).
Parsifal — Thomas, London, Neidlinger, Dalis, chœurs et orchestre Bayreuth, dir. Knappertsbuch (5 × Phi).
Wesendoncklieder — K. Flagstad, G. Moore (VsM).

VERDI 1813-1901

Rigoletto — Fischer-Dieskau, Bergonzi, Scotto, chœur et orch. Scala, dir. Kubelik (3 × DGG).
Il Trovatore — Tebaldi, Simionato, Del Monaco, orch. Genève, dir. Erede (3 × Decca).

La Traviata — Montserrat-Caballé, Bergonzi, chœur et orch. RCA, dir. Prêtre (3 × RCA).
Un Ballo in Maschera — Nilsson, Simionato, Bergonzi, chœur et orch. Rome, dir. Solti (3 × Decca).
La Forza del Destino — Price, Cossotto, Domingo, Bacquier, chœurs et orchestre Londres, dir. Levine (4 × RCA).
Don Carlo — Bergonzi, Fischer-Dieskau, Tebaldi, Ghiaurov, chœur et orch. Covent Garden, dir. Solti (4 × Decca).
Aïda — M. Caballé, Cossotto, Domingo, Ghiaurov New Philharmonia, dir. Muti (3 × VsM)
Otello — Tebaldi, Del Monaco, Protti, chœur et orch. Vienne, dir. Karajan (3 × Decca).
Falstaff — Stich-Randall, Merriman, Valdengo, orch. dir. Toscanini (3 × RCA) — Fischer-Dieskau, Panerai, Sciutti, orch. opéra Vienne, dir. Bernstein (3 × CBS).
Missa da Requiem — Schwarzkopf, Ludwig, Gedda, Ghiaurov, chœur et orch. Philharmonia, dir. Giulini (2 × VsM) — Vischnevskaïa, Issokava, Ivanovsky, Petrov, chœur et orch. Moscou, dir. Markévitch (2 × Phi).

GOUNOD 1818-1893

Faust — Los Angeles, Berton, Gorr, Gedda, Christoff, chœur et orch. Opéra, dir. Cluytens (4 × VsM).
Mireille — Vivalda, Gedda, Dens, Vessières, chœur Aix, orch. Conservatoire, dir. Cluytens (3 × VsM).

OFFENBACH 1819-1880

Les Contes d'Hoffmann — Schwarzkopf, Los Angeles, Gedda, d'Angelo, chœur et orch., dir Cluytens (3 × VsM).
La Vie parisienne — Crespin, Mesplé, Benoit, Sénéchal, chœurs et orchestre. Toulouse, dir. Plasson (2 × VsM).
La Périchole — Crespin, Vanzo, chœurs et orchestre Strasbourg, dir. Lombard (2 × Era).
La Grande Duchesse de Gerolstein — Soli, chœur et orch., dir. Hartemann (2 × Decca).

FRANCK 1822-1890

Les Béatitudes — Soli, chœur et orch., dir. J Allain (Charlin).
Œuvre d'orgue intégral — A. Marchal (3 × Erato).
Symphonie en ré min. — Orchestre Strasbourg, dir. Lombard (Era).
Variations symphoniques — Casadesus et orch. Philadelphie, dir. Ormandy (CBS).
Quintette en fa min. — Eymar et quatuor Loewenguth (Phi).
Sonate violon et piano — Oïstrakh, Oborine (CdM).

LALO 1823-1892

Le roi d'Ys — Micheau, Gorr, Legay, orch. ORTF, dir. Cluytens (3 × VsM).
Symphonie espagnole — I. Oïstrakh et orch. Moscou, dir Oïstrakh (CdM).

SMETANA 1824-1884

La Fiancée vendue — Opéra de Prague, dir. Chalabala (3 × Sup).
Ma Patrie intégrale — Orch. philharmonique tchèque, dir. Talich
(2 × Sup).

BRUCKNER 1824-1896

Messe en fa min. — Soli, chœur et orch. bavarois, dir. Jochum (DGG).
Symphonies n° 1. n° 2. n° 3 — Philharmonique Berlin, dir. Jochum
(3 d. sép. DGG).
Symphonie n° 4 — Philharmonique Vienne dir. Böhm (2 × Dec).
Symphonies n° 5, 6, — Concertgebouw Amsterdam, dir. Haitink
(2 × Phi).
Symphonie n° 7, **Te Deum** — Soli, chœurs et Concertgebouw Amster-
dam, dir. Haitink (2 × Phi).
Symphonie n° 8 — Concertgebouw Amsterdam, dir. Haitink (2 × Phi).
Symphonie n° 9 — Orch. philharmonique Vienne, dir. Mehta (Decca).

STRAUSS 1825-1899

La Chauve-Souris — Wächter, Rothenberger, Leigh, London, chœur et
orch. opéra de Vienne, dir. Danon (2 × RCA).
Le baron Tzigane — Schwarzkopf, Gedda, chœur et orch. dir. Ackermann
(2 × Col).
Valses célèbres — Orch. Vienne, dir. Sawallisch (Phi) et orch. philharmonique Vienne, dir. Karajan (RCA).

BORODINE 1833-1897

Le Prince Igor — Petrov, Vedernikov, chœur et orchestre Bolchoï, dir.
Ermler (4 × CdM).

BRAHMS 1833-1897

Requiem . Rapsodie pour contralto . Chant du Destin —
W. Lipp, S. Heynis, chœur et orch. symphonique Vienne, dir. Sawallisch
(2 × Phi).
Symphonies — Orch. Columbia, dir. Walter (CBS) — Philharmoniques
Vienne et Berlin, dir. Abbado (4 × DGG).
Concerto pour piano n° 1 — Katchen et orch. Londres, dir. Monteux
(Decca).
Concerto pour piano n° 2 — G. Anda et orch. Berlin, dir. Karajan (DGG).
Concerto pour violon — Oïstrakh et orch. National, dir. Klemperer (VsM)
— Kogan et orch. Moscou, dir. Kondrachine (CdM).
**Concerto pour violon et violoncelle . Variations sur un thème de
Haydn** — Francescati, Fournier et orch. Columbia, dir. Walter (CBS).
Danses hongroises (sept) — Orch. philharmonique Berlin, dir. Karajan
(DGG).

Oeuvres pour piano — Katchen (8 d. sép. Decca).
Rapsodies . Intermezzi op. 117 . 119 — Kempff (DGG).
Sextuor en si bémol majeur — Solistes octuor de Berlin (Phi).
Quintette à cordes — Quatuor de Budapest et Trampla (CBS).
Quintette avec piano op. 34 — Lee et Quatuor danois (Val).
Quintette avec clarinette op. 115 — Solistes octuor de Vienne (Decca).
Quatuors à cordes n°s 1 . 2 — Quatuor Weller (Decca).
Trios avec piano n°s 1 . 2 . 3 — Stern, Rose, Istomin (CBS).
Œuvre d'orgue intégral — Eibner (Tel).
Sonates pour violon et piano — Suk et Katchen (Decca).
Liebesliederwalzer — Wiener Akademie Kammerchor, dir. Grossmann (Vox).
Lieder — Fischer-Dieskau et Moore (VsM).
Volkslieder (quarante-deux) — Schwarzkopf, Fischer-Dieskau, Moore. (2 × Ang).

SAINT-SAËNS 1835-1921

Samson et Dalila — Gorr, Blanc, Corazza, chœur et orch. opéra, dir. Prêtre (3 × VsM).
Symphonie avec orgue — Orch. Boston, dir. Münch (Decca).
Concertos n°s 2 . 4 — Entremont et orch. Philadelphie, dir. Ormandy (CBS).

BIZET 1838-1875

Carmen — Bumbry, Vickers, Freni, chœurs et orchestre opéra de Paris dir. Frühbeck de Burgos (3 × VsM).
L'Arlésienne (deux suites) — Orch. Conservatoire, dir. Cluytens (VsM).
Symphonie . Jeux d'enfants — Orch. National, dir. Martinon (DGG).

MOUSSORGSKY 1839-1881

Boris Godounov — Ghiaurov, chœurs Sofia et Philharmonique Vienne, dir. Karajan (4 × Dec).
La Khovantchina — Opéra de Belgrade, dir. Baranovitch (4 × Decca).
Tableaux d'une exposition orch. Ravel — Orch. philharmonique Berlin, dir. Karajan (DGG).
Tableaux d'une exposition — Richter (Phi).
Mélodies enreg. intégral — Boris Christoff (4 × VsM).

TCHAIKOWSKY 1840-1893

La Dame de pique — Soli, chœur et orchestre national, dir. Rostropovitch (4 × DGG).
Eugène Oneguine — Soli, chœur et orch. Bolchoï, dir. Rostropovitch (3 × CdM).
Concerto pour piano n° 1 — Richter et orch. Vienne, dir. Karajan (DGG).

Concerto pour piano n° 2 — Cherkassky et orch. Berlin, dir. Kraus (DGG).
Concerto pour violon — Oïstrakh et orch. Philadelphie, dir. Ormandy (CBS).
Symphonies intégrale — Orch. symphonique URSS, dir. Svetlanov (7 × VsM).
Symphonie n° 5 — London Symphony orch., dir. Markévitch (Phi).
Symphonie n° 6 — Orch. philharmonique Vienne, dir. Maazel (Decca).
Casse-Noisette — London Symphony orch., dir. Dorati (2 × Phi).
Le Lac des Cygnes — Orch. Suisse romande, dir. Ansermet (2 × Decca).

DVOŘAK 1841-1904

Rusalka — Opéra de Prague, dir. Chalabala (4 × Sup).
Stabat Mater — Soli, chœur et orch. tchèque, dir. Smetaček (2 × DGG).
Messe en ré min. — Soli, chœur et orch. tchèque, dir. Smetaček (Lumen).
Symphonie du Nouveau Monde — Orch. Chicago, dir. Giulini (DGG).
Concerto pour violoncelle — Fournier et orch. philharmonique Berlin, dir. Szell (DGG).

CHABRIER 1841-1894

Bourrée fantasque . **España** . **Joyeuse marche** . **Fête polonaise.** — Orch. Conservatoire, dir. Dervaux (VsM).
Pièces pittoresques — J.-J. Barbier (BaM).

MASSENET 1842-1912

Manon — Los Angeles, Legay, Dens, orch. Opéra-Comique, dir. Monteux (4 × VsM).

GRIEG 1843-1907

Peer Gynt — Royal Philharmonic Orch., dir. Beecham (VsM).
Concerto pour piano — Anda et orch. philharmonique Berlin, dir. Kubelik (DGG).
Pièces lyriques (dix-sept) — Gieseking (VsM).

RIMSKY-KORSAKOV 1844-1908

Le Tsar Saltan — Soli, chœur et orch. Bolchoï (dont Petrov), dir. Nebolssine (3 × CdM).
Kitège — Soli, chœur et orch. Bolchoï (dont Petrov), dir. Nebolssine (3 × CdM).
Sniegourotchka — Opéra de Belgrade, dir. Baranovitch (3 × Decca).
La Grande Pâque russe . **Suite du Coq d'or** — Orch. Lamoureux, dir. Markévitch (DGG).

Shéhérazade . Capriccio espagnol — London Symphony orch., dir. Markévitch (Phi).

FAURÉ 1845-1924

Requiem — Soli, chœurs et orchestre, dir. Corboz (Era).
Shylock, Pavane, Madrigal, Caligula — Chœurs et orchestre ORTF, dir. Almeida (Era).
Musique de chambre — Hubeau, Tortelier, quatuor Via Nova, etc. (5 × Era).
Œuvre pour piano — E. Crochet (2 × 3 × Vox).
Mélodies — Souzay, Ameling, Baldwin (5 × VsM).

DUPARC 1848-1933

Quatorze Mélodies — Souzay, Bonneau (Decca).

D'INDY 1851-1931

Symphonie cévenole — N. Henriot et orch. Boston, dir. Münch (RCA).

JANÁČEK 1854-1928

Messe Slavonne (Glagolska mše) — Soli, chœur et orch., dir. Kubelik (DGG).
Kat'a Kabanova opéra — Opéra de Prague, dir. Krombholc (2 × Sup).
Jenufa opéra — Opéra de Prague, dir. Grégor (3 × VsM).
Le Petit Renard rusé opéra — Opéra Prague, dir. Neumann (2 × Sup).
L'Affaire Makropoulos — Soli, chœurs et orch. Prague, dir. Grégor (2 × Sup).
Sinfonietta. Taras Bulba — Orch. tchèque, dir. Ančerl (sup).
Journal d'un disparu — Haefliger, Griffel, Kubelik (DGG).
Deux quators — Quatuor Janacĕk (Sup).

CHAUSSON 1855-1899

Poème pour violon et orchestre — Oïstrakh et orch. Boston, dir. Münch (RCA).
Symphonie — Orch. Boston, dir. Münch (RCA).

PUCCINI 1858-1924

La Bohême — Freni, Pavarotti Ghiaurov, chœur et orchestre Berlin, dir. Karajan (2 × Dec).
Madame Butterfly — Freni, Ludwig, Pavarotti, Kerns, chœur et orchestre Philharmonique Vienne, dir. Karajan (3 × Dec).
Tosca — Nilsson, Corelli, Fischer-Dieskau, orchestre Rome, dir. Maazel (2 × Dec).

La Fanciulla del West — Tebaldi, Del Monaco, chœur et orch. Rome, dir. Capuana (3 × Decca).

Il Trittico : Il Tabarro . Suor Angelica . Gianni Schicchi.
Scotto, Cotrubas, Horne, Domingo, orch. Londres dir. Maazel (3 × CBS).

Turandot — Tebaldi, Nilsson, Bjôrling, chœur et orch. Rome, dir. Leinsdorf (3 × RCA).

WOLF 1860-1903

Gœthe Lieder — Fischer-Dieskau, G. Moore (2 × VsM).
Mörike Lieder — Fischer-Dieskau, G. Moore (2 × VsM).
Italienische Liederbuch — Souzay, Baldwin (Phi).

MAHLER 1860-1911

Le Chant de la terre — Baker, King, Concertgebouw, dir. Haïtink (Phi).
Kindertotenlieder — K. Ferrier et Philharmonique Vienne, dir. B. Walter (2 × VsM) [et **Symphonie n° 9**].
Das klagende Lied et **Symphonie n° 10 (inachevée)** — Soli, chœur et Symphonique Londres, dir. Boulez (2 × CBS).
Symphonie n° 1 — Orchestre Chicago, dir. Giulini (VsM).
Symphonie n° 2 — Ameling, Heynis et Concertgebouw, dir. Haïtink (2 × Phi).
Symphonie n° 3 — Lipton, chœur et Phil. New York, dir. Bernstein (2 × CBS).
Symphonie n° 4 — Ameling et Concertgebouw, dir. Haïtink (Phi).
Symphonie n°s 5 et 6 — Gewandhaus Leipzig, dir. Neumann (3 × Phi).
Symphonie n° 7 — Orchestre Chicago, dir. Solti (2 × Dec).
Symphonie n° 8 — Soli, chœurs Vienne, orchestre Chicago, dir. Solti (2 × Dec).
Symphonie n° 9 — Orchestre Chicago, dir. Giulini (2 × DGG).

ALBENIZ 1860-1909

Suite espagnole — Larrocha (Era).
Iberia intégral — Larrocha (2 × Erato).

STRAUSS (R.) 1864-1949

Salomé — Nilsson, Wächter, Kmentt, orch. Vienne, dir. Solti (2 × Decca).
Elektra — Nilsson, Resnik, Krause, orch. Vienne, dir. Solti (2 × Decca).

Le Chevalier à la Rose — Crespin, Minton, Donath, Jungwirth, chœurs et Philharmonique Vienne, dir. Solti (4 × Dec).

Ariane à Naxos — Hillebrecht, Thomas, Trojanos, dir. Böhm (3 × DGG).

Capriccio — Schwarzkopf, Ludwig, Stich-Randall, Fischer-Dieskau, Wächter, orch. Philharmonia, dir. Sawallisch (3 × Col).

Don Quixotte — Fournier et orch. philharmonique de Berlin, dir. Karajan (DGG).

Vie de héros — Orch. philharmonique de Berlin, dir. Karajan (DGG).

Ainsi parlait Zarathustra — Orch. philharmonique de Los Angeles, dir. Mehta (Decca).

Mort et Transfiguration . **Don Juan** — Orch. Vienne, dir. Maazel (Decca).

Lieder — Fischer-Dieskau (VsM) — Souzay (Phi).

Prestige du Lied (Beethoven, Schubert, Schumann, Brahms, Strauss...) — Streich, Seefried, Fischer-Dieskau, etc. (DGG).

Musique russe (Borodine, Glinka, Moussorgsky) — London Symphony, dir. Solti (Dec).

Histoire du quatuor — Quatuor bulgare (8 × HM).

Chagall, Le violoniste vert.

XXᵉ siècle

Gustave Charpentier et son orchestre de midinettes (1900).

Le calendrier n'ayant aucune action sur le comportement des hommes, on verra se perpétuer, pendant le premier quart de notre siècle, au moins, les styles du siècle romantique. C'est ainsi que le grand Richard Strauss écrira, à plus de quatre-vingts ans, ses *Métamorphoses* (d'un thème de Beethoven), que Puccini (mort en 1924) fera représenter *Madame Butterfly* à l'époque où Florent Schmitt, récent Prix de Rome, s'acquitte de son envoi réglementaire avec le *Psaume XLVII*.

Cependant, le début de ce siècle est marqué par un événement qui tourne une page : la « première » de *Pelléas*. Ce fut une bombe parfumée qui fit tomber les lorgnons, les fausses mèches et les falbalas.

1902 : Première représentation de *Pelléas et Mélisande* de Claude Debussy à l'Opéra-Comique. La cabale est soigneusement organisée et se trouve fortifiée de la mésentente qui règne entre le compositeur et l'auteur du livret, Mæterlinck (celui-ci ne pardonne pas à Debussy d'avoir refusé le concours d'une amie sans voix qu'il destinait au rôle de Mélisande).

203

Des programmes clandestins distribués avant la séance donnent une analyse fantaisiste et ironique du livret. C'est un scandale : la salle rit aux passages dramatiques ou sentimentaux, ou quand Yniold dit à Golaud « Petit père... », ou quand Golaud jaloux fait épier les amants par l'enfant en le hissant à la fenêtre. Personne n'écoute la musique, sauf quelques littérateurs et musiciens (Dukas, Valéry, Pierre Louÿs, ceux que Debussy rencontrait aux « Mercredis » de Pierre Louÿs ou aux réunions amicales du café Weber) : ceux-là devinent qu'ils assistent à l'un des grands événements musicaux de l'histoire. Cette œuvre est l'aboutissement du symbolisme, qu'elle dépasse, et le départ d'un mouvement nouveau vers la clarté classique. En écoutant *Pelléas et Mélisande*, on s'aperçoit combien l'influence des Russes sur Debussy a été exagérée : comment peut-on trouver le moindre accent slave chez Pelléas ? · Cependant, c'est probablement l'exemple des grands Russes qui a aidé la musique française à grandir, en lui apprenant comment se libérer de la rhétorique traditionnelle. Souple, délivrée de tous préjugés, la musique peut épouser les moindres mouvements du cœur et préférer à la peinture d'un univers théorique celle d'une réalité humaine où le monde se reflète et prend forme.

Première représentation à Monte-Carlo du *Jongleur de Notre-Dame* de Massenet. Le grand baryton Fugère fait de la merveilleuse *Légende de la Sauge* un modèle éternel.

Première audition à Pleyel (Société Nationale) de la *Pavane pour une Infante défunte* et de *Jeux d'eau* de Maurice Ravel, par le prestigieux pianiste espagnol Ricardo Viñes.
Cette musique brillante, taillée dans un diamant, fut une révélation pour tous les musiciens d'alors, envoûtés par l'enchantement debussyste.

1905 : Debussy publie *L'Isle Joyeuse*, lumineuse, éblouissante..., un « Embarquement pour Cythère », en plus prometteur encore.
Première représentation à Dresde de *Salomé*, opéra de Richard Strauss. Cet événement est comparable, par sa violence, à la Première du *Sacre du Printemps* ou à celle de *Pelléas*. Cette œuvre volcanique, cruelle, sensuelle à l'extrême, servie par des moyens orchestraux terribles, fit un scandale et fut même interdite jusqu'en 1910 sur les scènes de Grande-Bretagne.

« *Salomé* » *de Richard Strauss à New York (1909).*

1906-09 : Isaak Albeniz compose les 4 cahiers d'*Iberia*, suite d'éblouissants tableaux musicaux, dont certains *(Triana, Fête-Dieu à Séville)* comptent parmi les plus grands chefs-d'œuvre du piano.

1906 : Première audition du *Psaume XLVII* de Florent Schmitt, « envoi de Rome » du jeune lauréat de l'Institut. Dès les premières mesures on est transporté à des hauteurs vertigineuses. Il y a dans cette œuvre de débutant une science, une audace, un souffle généreux qui auraient pu suffire à faire de Schmitt l'égal des plus grands.

Première audition à la Société Nationale des *Miroirs* de Maurice Ravel par le fidèle Ricardo Viñes (cinq pièces : *Noctuelles, Oiseaux tristes, Une Barque sur l'océan, Alborada del Gracioso, la Vallée des cloches*) [1].

1907 : Première représentation au Théâtre des Arts de la *Tragédie de Salomé* de Florent Schmitt (reprise en 1913 dans l'orchestration définitive, aux Ballets Russes avec Karsavina).

Première représentation à l'Opéra-Comique d'*Arianne et Barbe-Bleue* de Paul Dukas, œuvre grande et noble qui montre l'antagonisme de l'Amour et de la Liberté.

1908 : Deuxième audition de *La Mer*, « trois esquisses symphoniques » de Debussy, sous la direction de l'auteur (une première exécution très médiocre en 1905, sous la direction de Chevillard, avait été sifflée). En dépit de son sous-titre modeste, cette somptueuse partition est une grande symphonie, la symphonie de Debussy, et sans doute la plus belle qui ait été écrite au XXe siècle.

Première représentation parisienne de *Boris Godounov* sur l'initiative de Diaghilev, le fondateur des « Ballets Russes ». Le rôle principal était chanté par Chaliapine.

Première audition chez Colonne de la *Rhapsodie Espagnole*

---

1. La critique a presque toujours rapetissé Ravel en en faisant un modeste émule de Debussy. Si la comparaison de leurs styles (contours précis chez le premier ; formes estompées chez le second) ne suffit pas à faire sentir ce qui sépare les deux musiciens, le petit tableau suivant montre qu'ils ont suivi des voies parallèles indépendantes.

date de compos.	DEBUSSY	RAVEL
1901		*Jeux d'eau*
1902	*Pelléas*	
1905-07	*Images*	
1905		*Miroirs*
1906		*Sonatine*
		Daphnis et Chloé
1910	*Préludes*	
1915	*Études*	*Trio*

I.— De l'aube à midi sur la mer

de Ravel : succès médiocre. Les critiques se montrèrent acerbes : ils ironisèrent sur la minutie du dessin et, le nez collé sur la partition, ils ne surent pas se reculer pour voir le puissant mouvement de l'ensemble et la richesse des couleurs.

1909 : Première audition à la Société Nationale, toujours par Viñes, de *Gaspard de la Nuit*, le chef-d'œuvre pianistique de Ravel.

1910 : Première représentation de *L'Oiseau de Feu* de Strawinsky, aux « Ballets Russes » récemment fondés. Strawinsky était alors un inconnu : son ballet provoqua un éblouissement qui dure encore. C'est le début d'une série de grandes soirées désormais légendaires au cours desquelles furent créées, sur l'initiative du génial impresario que fut Diaghilev, les plus belles partitions de notre temps.

Debussy joue pour la première fois, à la Société Nationale, quelques-uns de ses *Préludes*. Viñes jouera les autres au cours des années suivantes.

Première audition chez Colonne d'*Ibéria* de Debussy. Un Espagnol authentique, Manuel de Falla donne une excellente définition de cette partition : « *Debussy a prétendu, non pas faire de la musique espagnole, mais bien traduire ses impressions d'Espagne, d'une Espagne qu'il ne connaissait guère ou pas, et qu'il a imaginée avec une exactitude incroyable.* »

1911 : Première représentation de *Pétrouchka* de Strawinsky aux Ballets Russes (Chorégraphie de Fokine. Décors de Benois. Chef d'orch. : Monteux). Sur cet invraisem-

blable mélange de chansons populaires, de rengaines à la mode (« la jambe de bois »), de flonflons d'orphéons, Strawinsky colle ses belles harmonies fauves, orchestre le tout comme seul pourrait le faire Rimsky-Korsakov, ce maître de l'instrumentation, mais avec plus d'audace. Sur scène s'agite un immense guignol dont la cocasserie insolente atteint à la grandeur épique. Et voilà bien le spectacle le plus séduisant qu'on ait pu voir (et entendre) dans ce début de siècle. Le public, ahuri par tant de nouveauté, n'a rien compris et n'a pas même sifflé.

Les Ballets Russes montent l'*Après-Midi d'un Faune*, sur la musique de Debussy, avec Nijinsky.

Première audition (posthume) à Münich du *Chant de la Terre* de Mahler, sous la direction de Bruno Walter qui est demeuré le plus remarquable interprète de cette œuvre étrangement fascinante. On songe aux compositions que Thomas Mann attribue à Adrian Leverkuhn, le malheureux héros de son *Docteur Faustus*.

Première audition du *Martyre de saint Sébastien* de Debussy, sous la direction de Caplet. Malgré l'interdit lancé par l'archevêque de Paris qui menaça d'excommunication les spectateurs, cette œuvre grandiose produisit tout l'effet qu'on pouvait en attendre : Debussy lui-même, habituellement ironique, pleurait. Cependant le texte précieux et emphatique, parut trop long et Inghelbrecht imagina, avec l'accord des auteurs, un certain nombre de coupures lui permettant de donner cette œuvre sous forme d'oratorio. C'est ainsi seulement qu'elle est passée au grand répertoire.

1912 : Première représentation de *Daphnis et Chloé* de Ravel aux Ballets Russes (avec Nijinsky et sous la direction de Monteux). C'est le chef-d'œuvre de Ravel. « *Il nous mène peut-être,* écrivit Paul Valéry, *au plus haut point où la musique française peut prétendre à atteindre dans la grandeur, sans manquer à ses vertus traditionnelles : grandeur sans démesure qui veut de la sérénité dans la peinture même de la véhé-*

Debussy par Steinlen.

Mahler dirigeant (O. Bœhler). ▶

Schönberg par Oskar Kokoschka.

mence et du désordre ; lyrisme sans équivoque où l'artiste ne
tâche point de faire en sorte que l'on prenne son industrie pour
son émotion. »

Première audition du *Pierrot Lunaire* de Schönberg, mélo-
drame lyrique pour une voix et petit orchestre. Cette œuvre
révolutionnaire qui fut copieusement sifflée présente deux
nouveautés essentielles, d'où nos contemporains tirèrent un
enseignement considérable. La première est le *sprechgesang*,
sorte de déclamation parlée qui doit suivre rigoureusement
le rythme noté et suggérer les intervalles mélodiques, sans
entonner les notes justes en s'y maintenant, comme dans
le chant normal. La deuxième nouveauté est l'emploi d'un
chromatisme poussé jusqu'à ses extrêmes conséquences,
l'atonalisme, par l'utilisation systématique des douze demi-

Fauré (dessin de John Sargent).

tons de la gamme selon des règles harmoniques nouvelles que Schönberg expose dans son Traité d'Harmonie (1911). *(Dodécaphonique*)* Les problèmes de la composition polyphonique trouvent avec Schönberg une solution étonnante : celle du développement perpétuel...

1913 : Première représentation à Monte-Carlo de la *Pénélope* de Fauré, bientôt suivie d'une deuxième représentation au Théâtre des Champs-Élysées. Cette œuvre, généreuse et sincère à l'image de celui qui l'a conçue, ne fut représentée à l'Opéra de Paris qu'en 1943.

Première audition du *Festin de l'Araignée* de Roussel, œuvre finement poétique, la seule partition populaire de ce grand compositeur injustement méconnu.

Première représentation au nouveau Théâtre des Champs-

Manuscrit du « Sacre du Printemps ».

Élysées, flambant neuf, du *Sacre du Printemps* de Strawinsky par les Ballets Russes. Soirée mémorable où l'on se battit avec autant d'acharnement qu'à la célèbre « bataille » d'*Hernani*. Debout dans sa loge, la comtesse de Pourtalès criait indignée : « *C'est la première fois depuis soixante ans qu'on ose se moquer de moi.* » La plupart des spectateurs n'étaient pas d'âge à pouvoir en dire autant, mais beaucoup croyaient à une mystification. Dans le rythme, l'harmonie, l'orchestration, cette œuvre bouleversait toutes les habitudes musicales. De plus, on ne vit dans ce grandiose tableau de la Russie primitive qu'une horrible peinture des plus vils instincts sauvages. Cette œuvre devint la Bible de toute une génération de musiciens et son rayonnement fut aussi grand que celui de *Pelléas* : à de rares exceptions près, toutes les œuvres composées pendant ce demi-siècle relèvent plus ou moins d'une esthétique ou de l'autre.

Première audition à Madrid de la *Procession del Rocio* de Turina, l'œuvre qui détermina le succès de ce compositeur.

1915 : Première audition de *L'Amour Sorcier* de Falla au théâtre Lara de Madrid. Cette œuvre brûlante et sensuelle fut commandée par une

Costumes du « Sacre du Printemps ».
(Nicolas Rœrich).

Apollinaire et Diaghilev à une répétition des « Contes russes » en 1917. Dessin de Larionov, coll. André Meyer.

Décor de Picasso pour « Parade ».

chanteuse et danseuse de pure souche gitane, Pasto Imperio. Elle contient des pages éclatantes qui, telle la *Danse rituelle du feu*, sont presque passées dans le folklore, et des pages d'une émouvante simplicité comme le mystérieux *récit du pêcheur*.

1917 : Première représentation aux Ballets russes de *Parade* d'Érik Satie (chorégraphie de Massine, décor et costumes de Picasso, chef d'orch. : Ansermet). Cette œuvre cocasse cache sous ses extravagances de réelles beautés, et surtout elle est simple, nette et précise. Ce sont ces dernières qualités qui donnent à quelques jeunes musiciens l'idée d'en faire un drapeau. Ils sont contre Wagner, contre Rimsky, contre Debussy ; ils ne veulent plus de musique romantique, plus de musique impressionniste, plus de longues mélodies perdues dans le ciel ni d'harmonies diaphanes. Il leur faut une musique nettement dessinée, ayant bien les deux pieds sur terre et un bon accent français, même montmartrois à la rigueur. *Parade* qui semble écrite avec un compas et un tire-ligne répondait à leurs vœux. « L'orchestre d'Érik Satie donne toute sa grâce sans pédales, écrit Cocteau l'auteur de l'argument, c'est un orphéon chargé de rêve. »

Costumes de Picasso pour « Parade ».

Cocteau devient le porte-parole de ce groupe de jeunes, que les critiques baptisèrent plus tard « Groupe des Six » et qui se nomment Milhaud, Honegger, Durey, Germaine Tailleferre, Auric et Poulenc. Il écrit un manifeste : *Le Coq et l'Arlequin* dont l'effet sera retentissant. Et Satie, « le Bon Maître d'Arcueil », modeste et ironique, est promu prophète. Parmi les autres modèles recommandés par Cocteau, figurent Chabrier et Strawinsky. Les bêtes noires sont Beethoven et surtout Wagner.

1918 : le Jazz fait son apparition en France. Il trouve en Cocteau un défenseur et des adeptes nombreux parmi les jeunes compositeurs.

1919 : Première représentation à Londres du *Tricorne* de Falla par les Ballets Russes (Chorégraphie de Massine. Décors et costumes de Picasso), prodigieuse partition où la perfection classique de la forme est mise au service d'une intarissable invention mélodique et rythmique.

1920 : Première audition de la *Valse* de Ravel chez Lamoureux, somme frénétique de toutes les valses du monde qui s'enivrent d'elles-mêmes jusqu'aux limites de la démesure, dans un prodigieux crescendo.

1920-1923 : Schönberg publie son op. 23, cinq pièces pour piano, dont la dernière utilise pour la première fois l'écriture « sérielle » sur quoi repose le dodécaphonisme *.

1921 : Première représentation à Chicago de *L'Amour des trois oranges*, opéra de Prokofieff, œuvre satirique, truculente, cocasse jusqu'à la grandeur. On ne joue malheureusement de cette partition que quelques extraits symphoniques, dont la fameuse marche.

Première audition au théâtre du Jorat (en Suisse) du *Roi David* d'Honegger. L'auteur n'a que vingt-neuf ans, mais réussit là du premier coup un chef-d'œuvre accompli, qui par son émouvante sincérité attira d'emblée tous les suffrages. E. Vuillermoz eut le mérite de deviner le génie du jeune compositeur et d'attirer sur lui l'attention du monde musical par un article enthousiaste.

Première représentation de *Chout ou le Bouffon* de Prokofieff aux Ballets Russes.

Répétition de « Noces ».

1923 : Première représentation de *Noces* de Strawinsky aux Ballets Russes. Dans cette partition, comme dit Cocteau, Strawinsky déniaise le sublime. C'est la dernière grande œuvre du maître avant l'époque dite (un peu sommairement) « du retour à Bach ». Entre temps (1914-1920) Strawinsky, hostile à Schönberg, subit cependant l'influence de *Pierrot Lunaire* et compose des œuvres à petits effectifs : *Pribaoutki*, l'*Histoire du Soldat*, le *Concertino*.

Première représentation du *Rétable de Maître Pierre* de Falla, chez la Princesse de Polignac qui avait installé dans ses salons un théâtre de marionnettes ; car ce petit opéra-miniature est conçu pour trois personnages réels et les héros d'un théâtre de poupées. Sur la petite scène se joue le drame affreux d'une belle jeune fille enlevée par les brigands, occasion pour Don Quichotte de montrer ses vertus chevaleresques et, confondant une fois de plus la fiction et la réalité, de pourfendre les malheureuses marionnettes. On n'insiste pas assez en général sur la beauté de cette partition : Falla semble avoir compris que le héros de Cervantès n'est pas un bouffon, mais le symbole de hautes vertus humaines ;

« *Le Rétable de Maître Pierre* ».
Marionnettes de Rémo Bugano (New York, 1925).

ses airs, nobles et profondément émouvants, sont parmi les plus belles pages qu'ait écrites Falla. Bien d'autres compositeurs ont été inspirés par l'histoire de Don Quichotte (Telemann, Purcell, Paesiello, Massenet, Richard Strauss), mais la plus parfaite réussite reste celle de Falla.

Première représentation de *la Création du Monde* de Milhaud aux Ballets Suédois (qui font à Paris une sérieuse

Aquarelle de Marie Laurencin pour « Les Biches » de Poulenc

Décor de Braque pour « Les Fâcheux » d'Auric.

Décor de Pruna pour « Les Matelots » d'Auric.

concurrence aux Ballets Russes, auprès du public d'avant-garde surtout). Comme ce fut le cas pour Honegger, une des plus belles réussites de Milhaud demeure cette œuvre de jeunesse. Son originalité d'alors fut d'utiliser systématiquement le procédé nouveau de la polytonalité* et d'en tirer les meilleurs effets dramatiques ou humoristiques.

1924 : Première audition de *Rhapsody in Blue* de Gershwin. Parmi les auditeurs : Heifetz, Kreisler, Strawinsky, Rachmaninoff. Ce fut un triomphe.

Costume de Léger pour « La Création du Monde » de Milhaud.

Première représentation à Monte-Carlo (par les Ballets Russes) des *Biches* de Poulenc (décors et costumes de Marie Laurencin) et des *Fâcheux* d'Auric (décors et costumes de Braque). Par leur fraîcheur et leur simplicité, ces deux œuvres sont une parfaite illustration des principes exposés par Cocteau dans *Le Coq et l'Arlequin*.

1925 : Première représentation aux Ballets Russes des *Matelots* d'Auric. Le rôle du troisième matelot était tenu par un jeune danseur alors inconnu : Serge Lifar.
Première représentation de *Wozzek* d'Alban Berg, le plus génial représentant de l'école de Schönberg.

1926 : Première audition à New York du *Carnaval d'Aix* de Milhaud, sous la direction de Mengelberg (au piano : Milhaud).
Première représentation à Paris d'*Angélique* de J. Ibert.

1927 : Création à New York d'*Arcana* de Varèse, œuvre prophétique, grandiose composition d'avant-garde.

1928 : Première audition du *Boléro* de Ravel, par les ballets Rubinstein (chef d'orchestre : Straram). Cette œuvre était la fierté de Ravel : « L'ouvrier de New York, disait-il, chante mon *Boléro* » ; légitime raison d'être fier. Il pouvait l'être aussi par l'exceptionnel tour de force que représente cette partition sur le plan de l'orchestration.

Première audition du *Concerto d'alto* de Milhaud. En soliste : le grand compositeur allemand Paul Hindemith, excellent altiste ; chef d'orchestre, Pierre Monteux.

Festival Schönberg à Paris, au cours duquel nos compatriotes eurent la révélation de la musique « dodécaphonique ». Inutile de dire que cela ne plut pas au public. On se demande ce qui le scandalisa le plus de ce langage musical déroutant ou des nouveautés dans l'emploi des instruments.

1931 : Première à Vienne du *Concerto pour la main gauche* de Ravel par Wittgenstein, pianiste amputé du bras droit.

Première à l'Opéra de Paris de *Bacchus et Arianne* d'Albert Roussel (Chorégraphie : Lifar. Décors : Chirico. Chef d'orchestre : Gaubert).

1932 : Première à Pleyel du *Concerto en sol* de Ravel, par Marguerite Long.

Le sublime Adagio est un démenti à la légende de Ravel froid et insensible :

Nommé organiste de la Trinité à Paris, le jeune Messiaen répand chaleureusement sur un auditoire abasourdi des trésors de « fouillis d'arcs-en-ciel, liturgies de cristal, coulées de laves bleu-orange », peuplés de chants d'oiseaux...

Ravel (Lipnitzki).

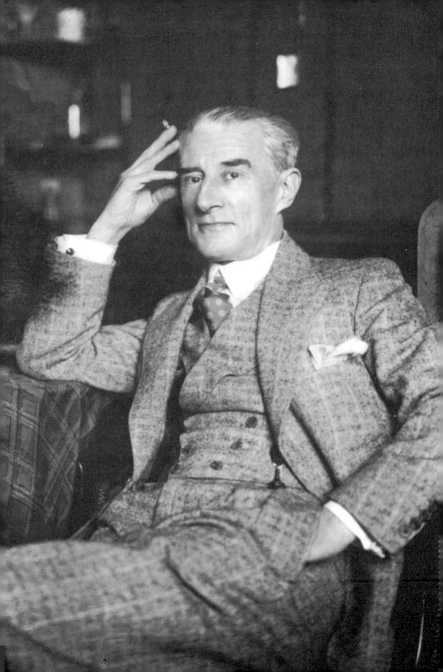

1935 : Première représentation au Théâtre de la Monnaie (Bruxelles) des *Choéphores* de Milhaud, composées en 1915.

Première audition du Concerto *à la Mémoire d'un ange* de Berg. L'ange, c'est la ravissante actrice viennoise Manon Gropius (fille d'Alma Mahler, la veuve du compositeur) qui mourut à dix-huit ans de paralysie infantile. Il est extraordinaire de voir ce qu'un musicien de génie a pu introduire de lyrisme et d'émotion dans une partition qui ressortit au système dodécaphonique, que beaucoup croient peu propice aux épanchements du cœur.

Première audition chez Pasdeloup de la 4ᵉ *Symphonie* de Roussel.

1936 : Fondation du groupe « Jeune France » qui réunit Y. Baudrier, Daniel-Lesur, O. Messiaen et A. Jolivet. Il s'agit de faire jouer les œuvres des jeunes musiciens et de donner l'exemple de la sincérité en musique.

La *Pravda*, dans un article intitulé *Un Désordre au lieu d'une Musique*, condamne l'opéra *Lady Macbeth à Mtsensk* de Chostakovitch. « Avec sa musique remuante, criarde et neurasthénique, cet ouvrage est fait pour chatouiller les goûts pervers des audiences bourgeoises. »

1937 : Première audition à Bâle sous la direction de Paul Sacher du chef-d'œuvre de Bela Bartok : la *Musique pour cordes, percussion et célesta*.

Publications des six cahiers du *Mikrokosmos* du même compositeur, l'un des plus intelligents ouvrages pédagogiques des temps modernes. Le dernier cahier contient des pièces qui sont parmi les plus belles de toute la littérature de piano contemporaine.

1938 : Première audition à Bâle de la *Sonate pour deux pianos et percussion* de Bartok, nouveau chef-d'œuvre éblouissant.

Alexandre Nevski, film soviétique d'Eisenstein, musique de Prokofieff : l'épisode fameux de la « bataille sur la glace » est un des sommets de l'œuvre du compositeur.

Première audition de *Jeanne au Bûcher* d'Honegger, à Bâle, sous la direction de Paul Sacher.

Première représentation à Boston de *Porgy and Bess*, opéra nègre de Gershwin.

1939-40 : Devant les progrès effrayants du nazisme, de nombreux compositeurs européens émigrent vers les États-

Unis ; ils suivent en cela l'exemple de Schönberg, Hindemith, Weill et de bien d'autres compositeurs allemands bannis ou persécutés, soit parce qu'ils étaient juifs, soit parce que leur art était jugé « bolchévik ». Strawinsky, Rieti, Bloch, Krenek, Bartok, Milhaud, Martinu, etc. vont s'établir à New York ou en Californie. La plupart sont invités à enseigner dans des universités américaines et à diriger des auditions de leurs œuvres.

1939 : Première audition à Amsterdam du *Concerto de violon* de Bartok.

Première audition par Sacher de l'étonnant *Divertimento* de Bartok, géniale exploitation de la forme du concerto grosso.

1940 : Première audition, à Bâle sous la direction de Sacher, de la *Danse des Morts* d'Honegger, inspirée de la « Danse des Morts » d'Holbein.

1942 : Première audition de la *Symphonie pour cordes* d'Honegger.

1943 : Publication du *Ludus Tonalis* de Hindemith, sorte de « clavecin bien tempéré » de notre temps, triomphe de la saine logique.

1944 : Première audition au « Carnegie Hall » du *Concerto pour orchestre* de Bartok : succès triomphal qui consola ce musicien, l'un des plus grands sinon le plus grand de notre temps, de pénibles incompréhensions.

Première audition à Boston des *Quatre Tempéraments* de Hindemith, partition vivante, gracieuse, et enjouée, pour piano et orchestre, qui deux ans plus tard sera transformée en ballet.

IV / Chants d'oiseaux -

Après-midi des oiseaux: merle noir, rouge-gorge, grive musicienne - et rossignol quand vient la nuit...

(Les chants d'oiseaux qui figurent dans cette pièce ont été entendus: dans les prés Perrin, à Fuligny (Aube) - dans la forêt de Saint Germain en Laye (Seine et Oise) - dans la brandenaie de Gardépée, à Saint-Brice, par Jarnac (Charente). La pièce se joue au Temps Pascal.)

V / Pièce en trio -

" de Lui, par Lui, pour Lui sont toutes choses "
(Saint Paul, Épître aux Romains - XI, 36)

1ère voix: inversions de 3 rythmes hindous: Rangapradîpaka, Caccarî, Sama. Rangapradîpaka diminue à chaque répétition, Caccarî augmente à chaque répétition, Sama ne change jamais. 2e voix: inversions de 3 rythmes hindous: Laya, Bhagna, Niccanka. Laya augmente à chaque répétition, Bhagna ne change jamais, Niccanka diminue à chaque répétition. 3e voix: chantant dans le médium-aigu et confié à la pédale: c'est la voix principale. La pièce a été écrite en Oisans, à la Grave (Hautes Alpes), devant les glaciers du Râteau, de la Meije, et du Tabuchet.

Olivier Messiaen

1945 : Première représentation au théâtre de Sadler's Wells à Londres de l'Opéra *Peter Grimes* de Britten, date capitale dans l'histoire de l'opéra anglais.

Première audition par Yvonne Loriod des *Vingt Regards de l'Enfant Jésus*, l'œuvre pianistique la plus caractéristique du génie d'Olivier Messiaen.

Première audition aux Concerts de la Pléiade des *Petites Liturgies de la Présence Divine* de Messiaen. Cette œuvre fut le signal d'un des plus formidables déchaînements de la presse musicale que l'on ait enregistré. L'œuvre ne plut pas à la moitié des critiques parisiens ; c'est le moins

Extraits d'un commentaire d'Olivier Messiaen sur son « Livre d'Orgue ».

qu'on puisse dire. Mais ce que ces mêmes critiques ne pardonnèrent pas à Messiaen, c'est d'avoir enlevé l'approbation du public avec des procédés très nouveaux qui eussent dû susciter l'indignation. Jamais le ton de la critique musicale ne s'était élevé avec tant de violence jusqu'à l'injure et la diffamation ; avec douceur, Messiaen a cependant gagné la partie et ses *Petites Liturgies* sont une des œuvres les plus jouées du répertoire contemporain.

1946 : Première audition à Philadelphie du *3e Concerto pour piano* de Bartók (piano, G. Sandor ; direction Ormandy). La première audition européenne fut donnée à Genève par Dinu Lipatti, sous la direction d'Ansermet. Cette œuvre magnifique, la dernière du maître, est aussi la plus populaire.

1949 : Création à Boston (direction Bernstein, le compositeur de *West Side Story*) de l'immense symphonie *Turangalila* de Messiaen, que Paris n'entendra qu'en 1954.

1950 : Premier concert de Musique concrète organisé par P. Schaeffer et P. Henry dans la salle de l'École Normale.
Création au Mai Florentin de *Il Prigioniero*, l'un des chefs-d'œuvre de l'opéra moderne.

1951 : Première audition du *Concerto de piano* de Jolivet, la plus forte personnalité de sa génération. Cette « première » mémorable eut lieu à l'occasion du festival de Strasbourg dans un chahut indescriptible. On se battit si bien qu'à l'issue du concert tout le monde fut emmené au poste et qu'un critique facétieux put intituler son article : « Un concerto de piano qui finit au violon. » Cette œuvre chaleureuse, inspirée et originale, conquit d'emblée le public des « Jeunesses Musicales de France » à Paris, peu après la séance de Strasbourg.
Première représentation au théâtre de la Fenice à Venise de l'opéra *The Rake's Progress* de Strawinsky.
Depuis 1920 environ, le plus illustre musicien de notre temps, qui avait bouleversé la musique à l'âge de trente ans, se fait inexplicablement le défenseur méthodique de la tradition : c'est la période des « retours à ... ». Retour au baroque italien (et à bien d'autres choses) dans *The Rake's Progress*, comme il y avait eu un retour à Hændel *(Œdipus-Rex)* ou à Bach (Concerto pour piano)... Avec la même objectivité glaciale, Strawinsky deviendra à 70 ans (à partir de 1953) un épigone de Webern, montrant là encore son extraordinaire maîtrise.

Première représentation à Strasbourg de l'opéra *Mathis le peintre* de Hindemith, interdit par le nazisme.

Composizione I^a per orchestra impose le nom et la personnalité de Luigi Nono aux « Ferienkurse » de Darmstadt. Le jeune compositeur opte dès ses débuts pour le dodécaphonisme sériel, animé par une inspiration chaleureuse et lyrique. Presque tous les compositeurs notoires de cette génération auront reçu aux cours d'été de Darmstadt, créés en 1946, l'essentiel de leur formation.

1952 : Création à Hanovre de *Boulevard Solitude*, de Henze, premier opéra intégralement sériel (si on excepte deux œuvres inachevées : *Lulu* de Berg, *Moïse et Aaron* de Schönberg).

Création à Donaueschingen de la 2e sonate pour piano de Boulez. Cet élève de Messiaen et Leibowitz, qui s'impose déjà comme le chef de file des musiciens de sa génération, hérite de Webern l'idée d'un système sériel généralisé qui s'applique aussi bien au rythme, aux nuances et à l'instrumentation, qu'au complexe mélodie-harmonie.

1953 : Création scénique à la Scala des *Trionfi* de Carl Orff, avec Schwarzkopf et sous la direction de Karajan.

1954 : Création de *Déserts* de Varèse au théâtre des Champs-Élysées, sous la direction de Scherchen. Cette œuvre audacieuse et grandiose, exprimant l'angoisse de l'homme devant l'étendue de ses connaissances, fit scandale principalement parce qu'elle fait alterner avec l'orchestre des séquences de « musique concrète » enregistrées sur bande magnétique.

Boulez fonde le « Domaine Musical » sous les auspices de la Compagnie M. Renaud - J.-L. Barrault. Cette association, qui joue très vite un rôle capital comme banc d'essai de la musique nouvelle, donne d'abord ses concerts dans la salle médiocre du « Petit Marigny », avant de suivre la compagnie Renaud - Barrault à l'Odéon - Théâtre de France. C'est au « Domaine Musical » qu'un public composite et difficile (des musiciens, des étudiants et des snobs) découvre la musique de Boulez, Nono, Stockhausen, Henze, Berio, Maderna..., et même Webern. Pour qui se croit imperméable à la musique de Webern, il faut souhaiter d'avoir la révélation des subtiles *Cinq pièces pour orchestre* op. 10, dirigées par Boulez avec une précision et une sensibilité remarquables.

1955 : *Metastasis* de Xenakis est créé au Festival de Donaueschingen : 61 instrumentistes y jouent 61 parties différentes.

1956 : Première audition, sous la direction de Scherchen, de la cantate *Il Canto sospeso* de Luigi Nono, l'un des plus profonds chefs-d'œuvre, et l'un des plus émouvants, de cette génération post-wébernienne. Nono y applique pour la première fois aux voix, avec une prodigieuse efficacité, le principe de la « Klangfarbenmelodie » (mélodie de timbres). Les textes sont empruntés à un recueil de lettres écrites par des résistants de divers pays, la veille de leur exécution.

Première audition, à Saint-Marc de Venise sous la direction de l'auteur, du *Canticum sacrum* de Strawinsky, composé l'année précédente « ad honorem Sancti Marci nominis » et pour remercier Venise de l'accueil réservé à ses œuvres. Avec une fantastique virtuosité et une inhumaine sécheresse, le nouvel épigone de Webern s'est appliqué au plus raffiné des contrepoints sériels. La conversion de Strawinsky au dodécaphonisme sériel le plus orthodoxe (fasciné par l'ascèse webernienne et inquiet de son prestige sur les jeunes musiciens) date d'une visite au tombeau de Webern en 1952 : le premier résultat fut le bel et simple *In Memoriam Dylan Thomas*.

1957 : Création à Paris du ballet *Agon* de Strawinsky, destiné à figurer un « combat dansé » : énorme orchestre, poudroyé en micro-sons à la manière de Webern.

Première scénique de *Moïse et Aaron* de Schönberg au Stadttheater de Zürich, sous la direction de Rosbaud, qui en avait donné une première audition radiophonique en 1954. Pendant deux ans (1931-32), Schönberg avait consacré la presque totalité de son temps à cet ouvrage monumental, sans doute l'opéra le plus important depuis *Pelléas*, sans parvenir à le terminer. *Moïse et Aaron* fut représenté à Paris en 1961, dans le cadre du théâtre des Nations, sous la direction de Scherchen.

Aux journées de musique contemporaine de Darmstadt, la première audition de *Klavierstück XI* de Stockhausen révèle un facteur compositionnel nouveau dans la musique européenne : le hasard. Le pianiste joue dans l'ordre que lui dicte l'inspiration du moment des fragments musicaux interconnectables, en attribuant à chacun le tempo et les nuances indiqués sur le fragment qui vient d'être joué. Le principe de la musique aléatoire avait été prudemment et intelligemment appliqué par Boulez dans sa 3e Sonate pour piano qui ne fut exécutée qu'un peu plus tard au « Domaine Musical » : œuvre capitale, beaucoup plus importante que celle de

Stockhausen, et qui marque une étape dans l'évolution musicale contemporaine. Il est à peine besoin de signaler les dangers des constructions aléatoires, chacun pouvant imaginer à quelles aberrations elles peuvent conduire les infirmes et les mystificateurs de l'art musical.

1959 : Première audition, au festival de Berlin, sous la direction de Schmidt-Isserstedt, de la 2ᵉ Symphonie de Jolivet. Dans cette œuvre puissante et originale, une importante percussion (25 instruments, 4 exécutants) dialogue avec l'orchestre selon le principe du concerto grosso.

Création à Boston sous la direction de Münch de la belle *Symphonie n° 2* de Dutilleux.

1960 : Au xxxivᵉ Festival de la SIMC à Cologne, création de *Movements* de Strawinsky, de *Coro di Didone* de Nono, et de *Pli selon pli : portrait de Mallarmé* de Boulez (probablement son chef-d'œuvre).

Création de *Chronochromie* de Messiaen à Donaueschingen.

1961 : Création à la Fenice, dans le cadre du festival de Venise, de l'opéra (ou « action scénique ») de Nono *Intolleranza 1960*. Ce très important ouvrage, malgré l'audace du livret et du langage musical, enlève l'adhésion du public.

Création à Schwetzingen (avec Fischer-Dieskau) de l'opéra *Elegie für junge Liebende* de Hans Werner Henze, qui est sans doute, avec Boulez et Nono, l'un des trois compositeurs les plus remarquables de sa génération. Cet opéra fut repris la même année à Glyndebourne.

Première audition de la 11ᵉ Symphonie de Milhaud, par l'orchestre de Dallas dirigé par P. Klecki.

1962 : Au cours d'un concert donné chez IBM à Paris, on entend *ST 10-1, 080262* de Xénakis, musique « calculée » sur ordinateur 7090.

Création à la Scala de Milan de la *Atlandida* de Falla. L'auteur avait commencé à composer cet opéra en 1928; il y travaillait encore quand il est mort. Son disciple et interprète, Ernesto Halffter fut chargé par les héritiers de Falla de compléter ce chef-d'œuvre, dont une première audition fragmentaire, sans mise en scène, eut lieu en 1961 à Barcelone. Cette œuvre géniale évoque le mystère d'un autre monde, dans un climat troublant et extraordinairement mystérieux.

1963 : Première audition des *Haï-Kaï* de Messiaen au « Domaine Musical » (sous la direction de Boulez).

Dans l'église Saint-Julien-le-Pauvre archi-comble, Pierre Henry donne deux mémorables concerts de musique électronique. On entend notamment une curieuse et fascinante composition intitulée *le Voyage*, qui avait été créée l'année précédente en ballet, par Béjart à l'opéra de Cologne.

Création au festival de Venise du chef-d'œuvre de Henze, la cantate *Novae de infinito laudes*.

1966 : Création de *Terrêtektorh* de Xenakis au Festival de Royan. Cet événement semble marquer la naissance d'un univers sonore, où la musique s'enrichit d'une nouvelle dimension spatiale.

Création de la *Passion selon saint Luc* de Penderecki dans la cathédrale de Münster. Le succès de cette œuvre capitale est à la base du renouveau d'intérêt pour la musique contemporaine.

1968 : Création de l'*Apocalypse de Jean* de Pierre Henry, au cours des « Journées de musique contemporaine ». Après cette audition, le public était convié à un concert ininterrompu des œuvres électroniques du compositeur (durée : 20 heures).

1969 : L'événement du Festival de Royan est la création de *Nomos Gamma* de Xenakis, où quatre-vingt-dix-huit musiciens sont répartis dans toute la salle.

Dans cette seconde moitié du XXe siècle, un puissant mouvement d'émancipation de l'imagination créatrice se traduit par une remise en cause du principe séculaire de l'écriture polyphonique, par une défiance à l'égard des choix exclusifs. La contestation des systèmes fermés, fondés sur un ensemble de lois de sélection et d'exclusion, implique naturellement la recherche continuelle de nouveaux moyens d'expression et l'adoption de toute acquisition fertile, quelle que soit son origine.

Il est possible qu'on soit engagé dans un grand processus de synthèse, où convergeraient, par une même avidité de lyrisme et de sensualité sonore, les familles esthétiques les plus diverses, comprenant une partie de la musique « de variété », libérée de ses tabous, de ses idoles et de ses tutelles commerciales.

C'est à l'ambition de la recherche que l'on peut aujourd'hui mesurer la vitalité des arts musicaux... dont témoigne encore la participation d'un très large public à l'aventure musicale de notre temps.

DISCOGRAPHIE

DEBUSSY 1862-1918

Pelléas et Mélisande — Soederstroem, Shirley, McIntyre, chœurs et orchestre Covent Garden, dir. Boulez (3 × CBS).

Le Martyre de saint Sébastien — Soli, ch. et orch. Londres, dir. Monteux (Phi).

La Mer . Jeux . Prélude à l'après–midi d'un faune — New Philharmonia, dir. Boulez (CBS).

Trois Nocturnes — Orch. National, dir. Inghelbrecht (VsM).

Œuvre pour piano intégral — Paraskivesco (2 × 3 × Cal).

Quatuor à cordes (et Quatuor de Ravel) — Quatuor danois (Val).

Mélodies — Souzay (DGG).

SIBELIUS 1865-1957

Symphonies — Philharmonique de New York, dir. Bernstein (CBS d. sép.).

Concerto pour violon — **Finlandia** — Ferras et Phil. Berlin, dir. Karajan (DGG).

SATIE 1866-1925

Parade . Gymnopédies . Relâche — Orch. Conservatoire, dir. Auriacombe (VsM).

Socrate — A. Laloé et ensemble dir. Sauguet (CdM).

Pièces pour piano — Barbier (BaM).

GRANADOS 1867-1916

Goyescas — Larrocha (2 × Erato).

Danses espagnoles — G. Soriano (Duc).

ROUSSEL 1869-1937

Bacchus et Ariane — Orch. National, dir. Münch (Vega).

Symphonies n^{os} **3 . 4** — Orch. Lamoureux, dir. Münch (Erato).

SCRIABINE 1872-1915

Poème de l'extase — Orch. Los Angeles, dir. Mehta (Decca).

Sonates pour piano — Ogdon (3 × VsM).

Préludes op. 11 — Dubourg (Tud).

RACHMANINOFF 1873-1943

Concerto n^o **2** — Katchen et orch. Londres, dir. Solti (Decca).

Concerto n^o **3** —- Cliburn et orch. dir. Kondrachine (RCA).

Six Préludes — S. Richter (DGG).

SCHÖNBERG 1874-1951

Moïse et Aaron — Soli, chœurs et orchestre BBC, dir. Boulez (2 × CBS).

Gurrelieder — Soli, chœur et orchestre BBC, dir. Boulez (2 × CBS).

Erwartung . Die Glückliche Hand . Pierrot Lunaire . Un survivant de Varsovie . Concerto pour violon — Baker, Pilarczyk, Beardslee et orch. Columbia, dir. Craft (2 × CBS).

Variations pour orchestre . deux Symphonies de chambre .

Pièces pour orchestre op. 16 . Lieder op. 22. Kol Nidrei .
Herzgewächse. Dreimal tausend Jahre . Orchestrations de Bach
— Orch. Columbia, dir. Craft (2 × CBS).
Œuvre pour piano intégrale — Pollini (DGG) ou Kars (VsM).
Concerto pour piano . Concerto pour violon — Gould, Baker, dir.
Craft (CBS).
Quintette op. 26 — Quintette à vent de Paris (CBS).

RAVEL 1875-1937

L'Enfant et les sortilèges — Soli, chœurs et Orch. national, dir. Maazel
(DGG).
L'Heure espagnole — Soli, chœurs et Orchestre national, dir. Maazel
(DGG).
Daphnis et Chloé — Chœur et Philharmonique New York, dir. Boulez
(CBS).
Ma mère l'Oye ; Bolero ; la Valse — London Symphony, dir. Monteux
(Phi).
Rapsodie espagnole ; Alborada ; Pavane ; Daphnis (2ᵉ suite) —
Orchestre Cleveland, dir. Boulez (CBS).
Concerto en sol — Argerich et Philharmonique Berlin, dir. Abbado
(DGG) [Prokofiev, Concerto nᵒ 3].
Concerto pour la main gauche — Février et Orchestre national, dir.
Tzipine (VsM) [Debussy, Fantaisie].
Les deux Concertos — François et orch. Conservatoire, dir. Cluytens
(VsM).
Œuvre intégrale pour piano seul — J. Février (4 × Adè).
Gaspard de la nuit ; Sonatine ; Valses nobles et sentimentales —
Argerich (DGG).
Musique de chambre (intégrale) — Paraskivesco, Rouvier, Ensemble
Jamet, Quatuor Debussy, etc. (3 × Cal).
Chansons Madécasses, Don Quichotte à Dulcinée, Histoires natu-
relles, etc. — Souzay, Baldwin, Larrieu, Degenne (Phi).

FALLA 1876-1946
La Vida breve — Los Angeles, Higueras, Rivadeneyra, chœurs et orch.
dir. Frühbeck de Burgos (2 d. Ang).
Les Tréteaux de maître Pierre — Soli et orch. dir. Argenta (Decca).
L'Amour sorcier (Granados, Goyescas) — New Philharmonia, dir.
Frühbeck de Burgos (Decca).
Le Tricorne — Los Angeles et orch. Philharmonia, dir. Frühbeck de
Burgos (VsM).
Nuits dans les jardins d'Espagne . Concerto de clavecin — So-
riano et orch. Conservatoire, dir. Frühbeck de Burgos (VsM).
Sept chansons populaires espagnoles — Berganza et Lavilla (Decca).

RESPIGHI 1879-1936
Fontane di Roma . Pini di Roma — Orch. Minneapolis, dir. Dorati
(Phi).
Boutique fantasque — Orch. Israël, dir. Solti (Decca).

BARTÓK 1881-1945
Le Château de Barbe-Bleue — Ludwig, Berry, London Symphony, dir.
Kertesz (Decca).

Le Mandarin merveilleux . **Cantata profana** — Soli, chœur et orch. Budapest, dir. Ferencsik (DGG).

Concerto pour orchestre . **Suite de danses** — London Symphony orch., dir. Solti (Decca).

Concertos pour piano n°s 2 . **3** — G. Anda et orch. Berlin, dir. Fricsay (DGG).

Concerto pour violon n° 1, Concerto pour alto — Menuhin et orch., dir. Dorati (VsM).

Musique pour cordes, percussion et celesta — Orch. hongrois, dir. Lehel (Hun).

Divertimento — Orchestre de chambre hongrois (Hun).

Six quatuors à cordes — Quatuor Bartók (3 × Erato).

Sonate pour deux pianos et percussion . **Sept pièces du Mikrokosmos** — Duo Kontarsky, König, Caskel (HM).

Suite op. 14 . **Burlesques** — Sebök (Erato).

Chants populaires hongrois — Torok et Csojbok (Hun).

STRAWINSKY 1882-1971

L'Oiseau de feu . **Le Chant du rossignol** — Orch. Berlin, dir. Maazel (DGG).

Petrouchka — Philharmonique New York, dir. Boulez (CBS).

Le Sacre du Printemps — Orchestre Cleveland, dir. Boulez (CBS).

Noces ; Renard ; Ragtime — Soli, chœur et ensemble Lausanne, dir. Dutoit (Era).

Histoire du soldat — Simon, Berthet, et ensemble dir. Dutoit (Era).

Œdipus Rex — Desailly, soli, chœur et orch. philharmonique tchèque, dir. Ancerl (Sup).

Symphonie de psaumes — Chœur Toronto, orch. Columbia, dir. Strawinsky (CBS).

Symphonie en trois mouvements . **Concerto de violon** — Stern et orch. Columbia, dir. Strawinsky (CBS).

Agon . **Threni** — Soli, chœur et orch. dir. Strawinsky (CBS).

Messe . **Cantate** — Antony Singers et orch. dir. Davis (OL).

KODALY 1882-1967

Psalmus Hungaricus . **Te Deum** — Chœur et orch. Budapest, dir. Kodaly (Ama).

Missa brevis — Soli, chœur et orch. dir. Kodaly (VsM).

Hary Janos — Orch. Budapest, dir. Ferencsik (Ama).

WEBERN 1883-1945

Œuvre intégral — Solistes, ensemble, dir. Craft (4 × CBS).

Deux Cantates — Ensemble, dir. Boulez (Vega).

Symphonie op. 21 — Ensemble, dir. Boulez (Vega).

VARÈSE 1883-1965

Hyperprisme . **Intégrales** . **Octandre,** etc. — Orch. Columbia, dir. Craft (CBS).

Arcana . **Amériques** . **Ionisation** — Phil. New York, dir. Boulez (CBS)

BERG 1885-1935

Lulu — Lear, Fischer-Dieskau, Greindl, orch. opéra de Berlin, dir. Bohm (3 × DGG).

Wozzeck — Strauss, Lasser, Berry, chœur et orch. Opéra, dir. Boulez (3 × CBS).

Kammerkonzert . Pièces pour orchestre op. 6 — Ensemble, dir. Boulez (CBS).

Concerto pour violon à la mémoire d'un ange . **Kammerkonzert** — Suk et orch. philharmonique tchèque, dir. Ancerl (Erato).

Der Wein . Suite lyrique version orch. — Beardslee et orch. Columbia, dir. Craft (CBS).

VILLA-LOBOS 1887-1959

Bacchianas brasileiras n°s 2 . 5 . 6 . 9 — Soli et orch. National, dir. Villa-Lobos (VsM).

Découverte du Brésil . Invocation — Zareska, chœur et orch. National, dir. Villa-Lobos (2 × VsM).

MARTINŮ 1890-1959

Bouquet de fleurs cantate — Soli, chœur et orch. tchèque, dir. Ancerl (Sup).

Les Fresques de Piero della Francesca — Orch. tchèque, dir. Ancerl (Sup).

Symphonie n° 6 . Lidice — Orch. tchèque, dir. Ancerl (Sup).

PROKOFIEV 1891-1953

L'Amour des trois oranges — Soli, chœur et orch. URSS, dir. Dalgat (2 × CdM).

Fiançailles au couvent — Soli, chœur et orch. théâtre Stanislavsky, dir. Abdoulaiev (3 × CdM).

Guerre et Paix — Vichnevskaïa, Petrov, chœur et orch. Bolchoï, dir. Melik-Pachaïev (4 × CdM).

Alexandre Nevsky — Chœur et orch. URSS, dir. Svetlanov (CdM).

Ivan le Terrible — Soli, chœur et orch. URSS, dir. Stassevitch (CdM).

Cendrillon — Orch. URSS, dir. Rojdestvensky (3 × CdM).

Symphonies intégrale — Orch. URSS, dir. Rojdestvensky (6 × CdM).

Concerto pour piano n° 2 — Baloghova et orch. tchèque, dir. Ancerl (Sup).

Concerto n° 3 — Argerich et orch. Philharmonique Berlin, dir. Abbado (DGG).

Concerto n° 5 — Richter et orch. Philharmonique Vienne, dir. Rowicki (DGG).

Deux concertos pour violon — Stern et orch. Philadelphie, dir. Ormandy (CBS).

Pierre et le Loup — Philipe et orch. URSS, dir. Rojdestvensky (CdM).

Sonates pour piano n°s 7 . 9 — Richter (CdM).

Pièces pour piano — Tacchino (VsM).

HONEGGER 1892-1955

Cantate de Noël . Symphonie n° 2 pour cordes — Chœur et orch. Suisse romande, dir. Ansermet (Decca).

Le roi David — Soli, chœur et orch. Suisse romande, dir. Ansermet (Decca).

Jeanne au bûcher — Soli, chœur et orch. Nice, dir. Cochereau (2 × FY).

Symphonie n° 4 — Orch. national, dir. Münch (Erato).

Pacific 231 — Orch. symphonique d'Utah, dir. Abravanel (Bar).

MILHAUD 1892-1974

Service sacré — Rehfuss, chœur et orch. Opéra, dir. Milhaud (Vega).
Deux cantates Des deux cités . De la paix — Ensemble vocal Caillat (Erato).
Le Château de feu . **Suite provençale** — Chœur et orch. ORTF et Conservatoire, dir. Milhaud et Baudo (CdM).
La Création du monde . **Le Bœuf sur le toit** — Orch. théâtre des Champs-Élysées, dir. Milhaud (Cha).
Symphonies n^{os} **4** . **8** — Orch. ORTF, dir. Milhaud (Erato).
Chants populaires hébraïques — Rondeleux, Ambrosini (BaM).
Œuvres pour piano — J. Février (Duc).

HINDEMITH 1895-1963

Mathis le Peintre extraits — Fischer-Dieskau, orch. Berlin, dir. Ludwig (DGG).
Métamorphoses symphoniques . **Les Quatre tempéraments** — Orch. phil. Berlin, dir. Hindemith (DGG).
Apparebit repentita dies . **Messe** — Ensemble Stuttgart et Baden-Baden, dir. Gottwald (HM).

ORFF 1895

Trionfi (Carmina burana . **Catulli carmina** . **Trionfo di Afrodite)** — Soli, chœur et orch. bavarois, dir. Jochum (3 × DGG).
Antigonae opéra — Borkh, Plumacher, Haefliger, chœur et orch. bavarois, dir. Leitner (3 × DGG).
Die Kluge opéra — Schwarzkopf, Frick, Christ, Neidlinger, orch. Philharmonia, dir. Sawallisch (2 × VsM).
Der Mond opéra — Christ, Schmittwalter, Kuen, chœur et orch. Philharmonia, dir. Sawallisch (2 × VsM).

GERSHWIN 1898-1937

Porgy and Bess — Soli, chœur et orch. dir. Engel (3 × Phi).
Rhapsodie in blue . **Concerto de piano** — Wayenberg et orch. Conservatoire, dir. Prêtre (VsM).

POULENC 1899-1963

Le Dialogue des Carmélites — Duval, Crespin, Gorr, Depraz, chœur et orch. Opéra, dir. Dervaux (3 × VsM).
La voix humaine — Duval et orch. Opéra-Comique, dir. Prêtre (VsM).
Stabat Mater . **Quatre motets** — Crespin, chœur et orch. Conservatoire, dir. Prêtre (VsM).
Gloria . **Concerto pour orgue** — Carteri, Duruflé, chœur et orch. ORTF, dir. Prêtre (VsM).
Figure humaine . **Messe** — Chœurs Uppsala (Erato).
Aubade . **Concerto pour piano** — Tacchino et orch. Conservatoire, dir. Prêtre (VsM).
Les Biches — Orch. Conservatoire, dir. Prêtre (VsM).
Sinfonietta . **Discours du Général** . **La baigneuse de Trouville** — Orch. de Paris, dir. Prêtre (VsM).
Mélodies — Souzay, Baldwin (Phi).
Pièces pour piano — Tacchino (VsM).

WEILL 1900-1950

Opéra de quat'sous — Soli (dont L. Lenya) chœur et orch. dir. Brückner-Ruggeberg (2 × CBS).

Sept péchés capitaux — May, Schreirer, orch. Leipzig, dir. Kegel (DGG).

SAUGUET 1901

Les Forains . Concerto pour piano — Orch. Lamoureux, dir. Sauguet — Devetzi et orch. radio URSS, dir. Rojdestvensky (CdM).

DALLAPICOLA 1904-1975

Il Prigioniero — Soli, chœur et orchestre Washington, dir. Dorati (Dec).
Canti di prigionia — Ensemble Jürgens (Tel).

JOLIVET 1905-1974

Concertos pour ondes Martenot et pour harpe — Loriod, Laskine, orch. ORTF, dir. Jolivet (Erato).
Concerto pour piano — Entremont et orch. Conservatoire, dir. Jolivet (CBS).
Concerto pour flûte . Incantations . Suite en concert pour flûte et percussion — Rampal et orch. Lamoureux, dir. Jolivet (Erato).
Concerto pour violoncelle n⁰ 2 . Cinq Danses rituelles — Rostropovitch et orch. National, dir. Jolivet (Erato).
Concertos pour trompette nᵒˢ 1 . 2 . pour violoncelle n⁰ 1 — André, Navarra et orch. Lamoureux, dir. Jolivet (Erato).
Deux sonates pour piano — Wayenberg (Duc).

CHOSTAKOVITCH 1906-1975

Katerina Ismaïlova (ex-**Lady Macbeth**) — Soli, chœur et orch. théâtre Stanislavsky, dir. Provatorov (4 × CdM).
Les 15 Symphonies — Philharmonique de Moscou, dir. Kondrachine (14 × CdM).
Symphonie n⁰ 13 — Chœurs et orchestre Philadelphie, dir. Ormandy (RCA).
Symphonie n⁰ 14 — Vichnievskaïa, Orchestre Moscou, dir. Rostropovitch (CdM).
Symphonie n⁰ 15 — Orchestre URSS, dir. Chostakovitch (CdM).
Concerto piano et trompette . Concerto pour piano n⁰ 2 — Grinberg, Popov, orch. URSS, dir. Rojdestvensky. Chostakovitch et orch. URSS, dir. Gaouk (CdM).
Préludes et Fugues (six) — Richter (CdM).

MESSIAEN 1908

Trois petites liturgies — Ensemble ORTF, dir. Couraud (Erato).
Et expecto resurrectionem mortuorum — Percussions Strasbourg et orch. Domaine musical, dir. Boulez (Erato).
Turangalila-Symphonie — Orch. National, dir. Le Roux (2 × Vega).
Réveil des oiseaux . Oiseaux exotiques . Catalogue d'oiseaux — Loriod et orch. tchèque, dir. Neumann (Erato).
Vingt regards sur l'Enfant-Jésus — Loriod (3 × Vega).
Sept Haï-Kaï — Loriod et Percussions Strasbourg, dir. Boulez (Adès).
Quatuor pour la fin du Temps — Béroff, Gruenberg, Peyer, Pleeth (VsM).
Cinq Rechants — Ensemble vocal ORTF, dir. Couraud (Erato).
Œuvre d'orgue — L. Thiry (6 × CAL).

DANIEL-LESUR 1908

Symphonie de danses . **Sérénade pour cordes** — Orch. ORTF, dir. Lindenberg (Erato).
Variations pour piano et cordes — Tagrine et orch. Paillard (Erato).
Chansons du calendrier — Ensemble Caillat (Erato).

BRITTEN 1913-1976

War Requiem — Vishnevskaïa, Pears, Fischer-Dieskau, chœur et orch. Londres, dir. Britten (2 × Decca).
Peter Grimes — Soli, chœur et orch. Covent Garden, dir. Britten (3 × Decca).
Le Songe d'une nuit d'été — Soli et orch. Londres, dir. Britten (3 × Decca).
Les Illuminations . **Variations sur un thème de Bridge** — Pears et English Chamber Orch., dir. Britten (Decca).

OHANA 1914

Synaxis — Joy, Ivaldi et orch. ORTF, dir. Brück (Erato).
Syllabaire pour Phèdre . **Signes** — Ensemble Ars Nova, dir. Constant (Erato).

DUTILLEUX 1916

Symphonie n° 1 — Orch. dir. Fremeaux (Vega).
Symphonie n° 2 — Orch. Lamoureux, dir. Münch (Erato).
Metaboles — Orch. National, dir. Münch (Erato).

XENAKIS 1922

Akrata . **Achorripsis** . **Polla ta Dhina** . **ST/10** — Ensemble Simonovic (VsM).
Metastasis . **Pithoprakta** . **Eonta** — Orch. National, dir. Le Roux et ensemble Simonovic (CdM).
Perséphassa — Percussions de Strasbourg (Phi).
Terretektorh, Nomos Gamma, Orient-Occident, etc. (5 × Era).
Nuits — Ensemble vocal Marcel Couraud (Erato).

LIGETI 1923

Aventures . **Atmosphères** . **Volumina** — Orch. Baden-Baden, dir. Bour et Maderna (Wer).
Requiem, Lontano, Continuum — Soli, chœur et orchestre, dir. Gielen (Wer).

NONO 1924

Fabbricata illuminata . **Ha venido** . **Ricorda cosa ti hanno fatto in Auschwitz** — Henius, Woytowicz, chœurs Milan et bandes magnétiques RAI (Wer).

BOULEZ 1925

Pli selon pli — Orchestre BBC, dir. Boulez (CBS).
Le Soleil des eaux — Soli, et orch. BBC, dir. Boulez (VsM).
Le Marteau sans maître — Minton et ensemble Musique vivante, dir. Boulez (CBS).
Structures pour deux pianos — Duo Kontarsky (Wer).

BERIO 1925

Sinfonia — Swingle Singers et Orch. philharmonique de New York, dir. Berio (CBS).
Laborintus — Soli, chœurs, ensemble « Musique vivante » et bande magnétique, dir. Berio (HM).
Circles . Sequenza I . III . V — Berberian, Drouet, Casadesus, etc. (HM).

CONSTANT 1925

Chants de Maldoror ; Winds ; Traits — Ars Nova dir. Constant (Era).
Candide — Orchestre National, dir. Constant.
Éloge de la Folie — Ensemble Ars Nova, dir. Constant (Erato).
Préludes pour orchestre — Orch. philharmonique ORTF, dir. Brück (DGG).

HENZE 1926

Élégie pour de jeunes amants opéra, extraits — Mödl, Fischer-Dieskau et orch. Berlin, dir. Henze (DGG).
Trois Cantates — Moser et orch. de Berlin, dir. Henze (DGG).
Cinq Symphonies — Orch. philharmonique de Berlin, dir. Henze (DGG).

HENRY 1927

La Reine verte — Studio Apsome, P. Henry (Phi).
Le Voyage — Studio Apsome, P. Henry (Phi).
Variations pour une porte et un soupir — Studio Apsome, P. Henry (Phi).
L'Apocalypse de Jean — Studio Apsome, P. Henry (3 × Phi).

STOCKHAUSEN 1928

Carré, Gruppen — Orchestres Cologne et Hambourg, dir. Stockhausen, Maderna, Kagel, Gielen (DGG).
Momente — Arroyo, duo Kontarsky, chœurs et orchestre Cologne, dir. Stockhausen (Wer).
Klavierstücke — Kontarsky (2 × CBS).

PENDERECKI 1933

Les Diables de Loudun — Trojanos, Hiolski, chœurs et orch. Hambourg, dir. Janowski (2 × Phi).
Utrenja — Soli, chœur et orchestre Varsovie, dir. Markowski (2 × Phi).
Passion selon saint Luc — Soli, chœur et orch. Cologne, dir. Czyz (2 × HM).
Dies Irae . Polymorphia . De natura sonoris — Soli, chœur et orch. Cracovie, dir. Czyz (Phi).
Psaumes de David . Anaklasis . Fluorescences — Chœur et orch. Varsovie, dir. Markowski (Wer).

Le folklore et la musique
extra-européenne

L'ethnologie musicale est une science particulière, dont les méthodes sont dûes, pour une bonne part, aux travaux des compositeurs Bartok et Kodaly : de 1906 à 1913, les deux amis parcoururent d'importantes distances, notant ou enregistrant sur rouleau phonographique près de 10 000 mélodies populaires hongroises, slovaques, roumaines, ukrainiennes, serbo-croates, bulgares, turques, arabes... et publiant en 1913 un « Plan d'une nouvelle collection complète de chansons populaires », véritable charte de l'ethnographie musicale.

La diversité des musiques populaires et la difficulté de leur étude rendent inconcevable un schéma de quelques pages sur le folklore du monde entier. On ne trouvera donc ici qu'une liste de quelques collections de disques particulièrement remarquables, tant de musique populaire que de musique traditionnelle extra-européenne.

DISCOGRAPHIE

1. *Collection Folkways* - Cette marque américaine, distribuée en France par « Chant du Monde », a enregistré de l'excellente musique populaire dans le monde entier, particulièrement aux États-Unis. (CdM).

2. *The Columbia World Library of Folk and Primitive Music* - Remarquable anthologie, confiée aux plus éminents ethnologues musicaux contemporains. Particulièrement intéressante pour le folklore européen. (CBS).

3. *Anthologie Musicale de l'Orient* - Collection dirigée par Alain Daniélou, sous le patronage de l'UNESCO. A recommander particulièrement, les disques consacrés aux musiques de l'Inde, de l'Iran, de l'Afghanistan, du Laos et du Cambodge. (Bae).

4. *Divers* - Catalogues importants de folklore du monde entier et de musique extra-européenne chez les éditeurs de disques Boite-à-musique, Chant-du-Monde, Ducretet, Supraphon et Vogue... Notamment :

Joueuse de vina (Inde).

Des goûts et des couleurs...

Tout jugement musical devrait être formulé ainsi : « Je viens d'entendre l'œuvre nouvelle de Monsieur X... J'en ai reçu telle impression qui semble provoquée par tel procédé mis en œuvre par l'auteur... Mais je ne désespère pas de voir cette première impression se modifier par la suite. » Si notre première impression est bonne, l'œuvre n'est certainement pas tout à fait mauvaise, car elle a atteint son but, celui de nous faire plaisir ; et, comme disait Voltaire : « C'est un grand art que celui de rendre les hommes heureux pendant deux heures. » En louant avec sincérité on a donc peu de chances de se tromper. C'est dans les jugements défavorables que l'on doit être prudent et ne pas prononcer des condamnations sans rémission avant d'avoir médité sur la fragilité des opinions humaines.

La petite anthologie qui va suivre a pour but de montrer que les plus grands maîtres ont été parfois très sévèrement jugés par les critiques, par leurs confrères, ou par des hommes de lettres. Et les responsables de ces sortes d'erreurs judiciaires sont parfois d'éminents spécialistes et des hommes d'esprit dignes de confiance.

SUR MOZART : Hector Berlioz, l'un des plus grands critiques de tous les temps, l'un de ceux qui se sont le plus rarement trompés, écrit sur l'ouverture de l'*Enlèvement au Sérail* : « *Léopold Mozart, au lieu de pleurer d'admiration, comme à l'ordinaire, devant cette œuvre de son fils, eût mieux fait de la brûler et de dire au jeune compositeur :* — *Mon garçon, tu viens de produire là une ouverture bien ridicule.* Et plus loin, à propos de cet Opéra : « *Il y a une foule de jolis petits morceaux de chant sans doute, mais aussi une foule de formules qu'on regrette d'autant plus d'entendre là que Mozart les a employées plus tard dans ses chefs-d'œuvre.* » L'air charmant de Blondine *(Welche Wonne...)* ne lui plaît pas plus : *L'allegro de l'air suivant offre une fâcheuse ressemblance avec l'air populaire parisien* « En avant Fanfan la Tulipe ! »

SUR BEETHOVEN : Le critique anonyme d'un journal intitulé *Les tablettes de Polymnie* (1810), qui déjà trouvait hermétique le fugato, qu'il qualifie de *Fugue à quatre sujets*, à la fin de la *Symphonie Jupiter* de Mozart, est affolé par les cinq premières symphonies de Beethoven : « *L'étonnant succès des symphonies de Beethoven est d'un exemple dangereux pour l'art musical... On croit produire de l'effet en prodiguant les dissonances les plus barbares et en employant* avec fracas tous les instruments de l'orchestre. Hélas ! on ne fait que déchirer bruyamment l'oreille sans parler au cœur... »

Et Ludwig Spohr, célèbre violoniste et compositeur, affirme vers 1855 après une audition de la 9ᵉ Symphonie *qu'il manque à Beethoven une éducation esthétique et le sens du beau.*

Berlioz et la critique (de son vivant).

SUR BERLIOZ : En 1847, Paul Scudo rend compte dans la *Revue des Deux Mondes* de l'audition de la *Damnation de Faust : « D'un côté, M. Berlioz ne trouve presque toujours, au lieu d'idées, que des chants inintelligibles, de l'autre il ne s'est pas donné la peine d'étudier suffisamment les procédés de l'art d'écrire... Les efforts incroyables qu'il est obligé de faire pour articuler les vagues aperçus de son imagination l'exaltent et lui persuadent qu'il fait merveille... »* Un autre « pygmée » (c'est ainsi que Berlioz qualifiait ses détracteurs), Alexis-Jacob Azevedo, écrit en 1846 encore à propos de la Damnation (on en avait donné la première audition la même année) : *« Une œuvre sans nom, que vous nommez légende, faute de mieux, un incroyable amalgame de mélopée qui n'est ni mélodie, ni récitatif, ni plain-chant ; d'harmonie sans tonalité, sans point d'appui, sans cadences, déchirante et convulsive, quand elle n'est pas banale... »*

Berlioz et la critique (après sa mort).

SUR WEBER : Opinion du grand poète GRILLPARZER sur l'*Euryanthe* : « *Un manque total d'ordonnance et de coloris. Cette musique est horrible. Cette subversion de la bonne sonorité, cette violation du beau eussent été punies par les lois aux temps de la Grèce. Pareille musique est justiciable de la Police...* »

Berlioz, lui, est révolté de la froideur de l'accueil réservé en Allemagne à *Euryanthe*, qu'il considère comme un chef-d'œuvre : « *Des gaillards, qui vous avalent sans sourciller d'effroyables oratorios capables de changer les hommes en pierre et de congeler l'esprit-de-vin, s'avisèrent de s'ennuyer à Euryanthe...* »

SUR WAGNER : Le même Scudo, qui s'acharnait contre Berlioz, se joint en 1861 aux membres du « Jockey-Club » pour ridiculiser Tannhäuser : « *On ne peut s'imaginer de quelle musique M. Wagner a enveloppé cette scène de volupté (entre Tannhäuser et Vénus), qui est un des lieux communs les plus usés de la poétique et de l'opéra... C'est le chaos, c'est le néant, mais le chaos et le néant scientifiques... Ce n'est pas assez pour un critique de comprendre et d'aimer les belles choses, il faut encore savoir affronter la laideur avec calme et résolution.* »

En 1885, Camille Bellaigue assiste à Bruxelles à la représentation des *Maîtres Chanteurs* : « *Le premier acte est le plus terrible... En écoutant cet acte, en le voyant, on sent dans sa plénitude l'ennui wagnérien... Ce premier acte en entier est la négation du théâtre... Une*

Wagner et la critique (de son vivant).

musique plus qu'insipide... » Quarante ans plus tôt, Robert Schumann, très grand critique, fut plus perspicace. Après une première impression mauvaise, à la seule lecture de la partition de *Tannhäuser*, il entend l'œuvre et écrit à Mendelssohn : « *Je dois rectifier ce que j'ai dit de Tannhäuser d'après la partition. A la scène, l'impression est différente. J'ai été saisi par de nombreux passages. Le Tannhäuser contient des choses profondes, originales et cent fois supérieures à ses opéras précédents.* » (12 nov. 1845.)

SUR CHOPIN : En 1831, ce même Schumann avait deviné le génie du jeune Chopin, alors agé de vingt et un ans seulement, et dont les *Variations* sur un thème du Don Juan de Mozart l'avaient enthousiasmé. C'est à propos de cette œuvre (Op. 2, *La ci darem la mano, varié pour le Piano-forte, par Frédéric Chopin*) qu'Eusebius (alias Schumann) s'écria : « *Chapeau bas, messieurs, un génie !* » et plus loin : « *Je courbe la tête devant un tel génie, un tel effort, une telle maîtrise.* » (Premier article de Schumann dans l'*Allgemeine musikal Zeitung* du 7 déc. 1831.)

Quant aux erreurs commises à propos de Chopin, les plus étranges sont celles du plus grand nombre des interprètes qui s'obstinent à vouloir donner à toute sa musique, quels qu'en soient le style ou la tonalité, un air atrocement désespéré ou violemment révolté. La radieuse *Barcarolle* elle-même est souvent déclamée avec d'affreuses grimaces. De cet art plein de pudeur qui s'apparente à celui de Mozart, on a fait la plus vulgaire manifestation d'exhibitionnisme sentimental.

251

SUR BIZET : Lorsque notre grand BIZET, qui sut si bien trouver le chant juste que certaines de ses mélodies se sont intégrées au folklore — lorsque BIZET fit représenter *Carmen*, Paul de Saint-Victor écrit dans le *Moniteur Universel* : « *M. Bizet appartient à cette secte nouvelle dont la doctrine consiste à vaporiser l'idée musicale au lieu de la resserrer dans des contours définis. Pour cette école dont M. Wagner est l'oracle (! ! ? ?), vague comme celui des chênes de Dodone, le motif est démodé, la mélodie surannée... Un tel système doit nécessairement produire des œuvres confuses...* » Et Camille du Locle, directeur de l'Opéra-Comique : « *C'est de la musique cochinchinoise ; on n'y comprend rien !* » M. Oscar Comettant, autre spirituel oracle, affirme dans le *Siècle* que « *M. Bizet appartient à l'école du civet sans lièvre ! Il remplace par un talent énorme et une érudition complète la sève mélodique qui coulait à flot de la plume des Auber, des Adam,* » etc...

SUR DEBUSSY : Là, Camille Bellaigue se trompe encore, mais il n'est pas le seul et ce qu'il écrit, il l'écrit bien. « *Parmi les éléments dont se compose toute musique, il en est deux... que le musicien de* Pelléas et Mélisande *a délibérément supprimés : l'un est le rythme et l'autre la mélodie... Il n'y a pas non plus de symphonie, car la symphonie, étant développement, n'est possible que là où se trouve quelque chose à développer... L'orchestre de M. Debussy parait grêle et pointu. S'il prétend caresser, il égratigne et blesse. Il fait peu de bruit je l'accorde, mais un vilain petit bruit...* » (Revue des Deux Mondes, mai 1902.)

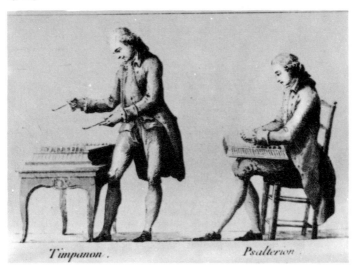

Timpanon. *Psalterion.*

Gravures de Mirys pour l'« Essai sur la musique ancienne et moderne » de La Borde.

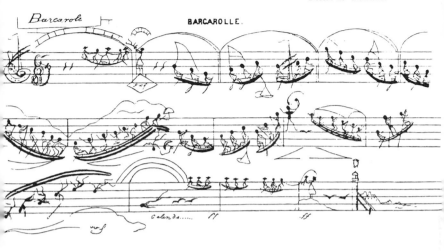

Lexique

Atonale : Mot vague qui sert à désigner toute œuvre musicale qui, s'éloignant diamétralement des règles de l'harmonie classique, réalise une sorte d'ubiquité tonale. On désigne habituellement par musique atonale celle qui relève du système dodécaphonique ★, mais on pourrait appliquer ce qualificatif à des pages indéterminées tonalement, (celles par exemple qui reposent sur la gamme « par tons » : *do-ré-mi-fa* dièze-*sol* dièze-*la* dièze). Le mot est d'ailleurs incorrect ; on devrait dire, comme Schönberg lui-même, « pantonal », expression qui implique un caractère d'ubiquité.

Ballade : Pièce lyrique, datant des trouvères et qui fleurit principalement au XIVᵉ s. La ballade moderne, vocale ou instrumentale (Chopin) n'a plus grand'chose de commun avec les anciennes ballades, si ce n'est une atmosphère de conte ou de légende.

Basse continue (ou, en italien, *continuo*) *:* Notation abrégée d'un accompagnement de clavier (clavecin ou orgue) en usage dès la fin du XVIᵉ siècle. Le procédé consistait à ne noter que la basse d'un accompagnement en laissant à l'exécutant le soin de compléter sa partie par les accords adéquats et les ornements qu'exigeait le goût du temps. Souvent cette basse continue était accompagnée de chiffres indiquant les accords auxquels elle devait servir de fondement *(Basse chiffrée).*

253

Cadence : Succession d'harmonies par lesquelles on amène dans une œuvre musicale un repos ou une conclusion. Par extension, on appelle ainsi le morceau de virtuosité que les chanteurs ou les instrumentistes introduisent au milieu de la cadence, habitude qui trouve son origine dans l'avant-dernière note richement ornée de la partie de ténor dans les motets des XIVᵉ et XVᵉ siècles.

Canon : Forme de composition polyphonique dans laquelle les diverses parties chantent la même mélodie, mais en l'attaquant à une ou plusieurs mesures de distance. L'appellation est en réalité impropre, car ce terme désignait à l'origine l'ensemble des signes par lesquels le compositeur indiquait les entrées des différentes voix. L'œuvre elle-même portait des noms tels que *caccia*, *fuga*, *rota* etc. Ces formes ont donné naissance au *ricercare* puis à la fugue.

Cantate : Signifie à l'origine « pièce chantée », par opposition à sonate ou « pièce sonnée » (par des instruments). C'est en Italie que le mot cantate apparaît au début du XVIIᵉ siècle (v. page 89) pour désigner une œuvre vocale monodique divisée en airs et récitatifs alternés. Au temps de Bach, ce genre, considérablement développé, comprend des chœurs et des pièces instrumentales : rien alors ne distingue la cantate de l'oratorio, si ce n'est le caractère dramatique ou narratif de celui-ci.

Chacone : Pièce instrumentale à 2/4 ou 3/4 construite sur une basse obstinée de huit mesures au plus qui se répètent indéfiniment, et dans un mouvement lent. La chacone était une danse à l'origine (v. Cervantes) ; elle fut encore utilisée comme telle dans les ballets et opéras du XVIIIᵉ siècle.

Choral : A l'origine, un chant d'église harmonisé à plusieurs parties, d'une manière simple qui lui permette d'être chanté par les fidèles (choral protestant) : sous cette forme, il intervient encore dans les grandes œuvres religieuses du temps de Bach (cantates, Passions, etc.). Par ailleurs, la mélodie principale du choral, qui fut bientôt la seule à être chantée à l'unisson par les fidèles, servit de sujet au *Choral figuré*, travail contrapuntique plus ou moins compliqué autour du thème pris en valeurs longues (ex. : chorals d'orgue de Bach).

Chromatique : Qui procède par demi-tons. La gamme chromatique est formée des douze demi-tons. On parle du « caractère chromatique » d'un morceau lorsque celui-ci utilise fréquemment des notes altérées. En composant *Tristan*, Wagner est allé si loin dans la voie du *chromatisme* que l'on a vu dans cette partition l'origine de la musique dodécaphonique.

Comma : Le plus petit intervalle dont il soit question en musique. Le rapport des fréquences de deux sons distants d'un comma est de 81/80. On compte approximativement neuf commas dans un ton. Dans la gamme « naturelle » de Zarlino, la différence entre les demi-tons diatonique et chromatique (ou entre do♯ et ré♭) n'est pas d'un comma, comme on le croit souvent, mais d'un quart de ton faible ou «diesis» (128/125).

Concerto : Composition de grande dimension pour un instrument soliste accompagné par l'orchestre. Sa forme est équivalente à celle de la sonate, mais en trois mouvements seulement (Vif-lent-vif). Le *Concerto Grosso* est un concerto où plusieurs instruments solistes (constituant le *concertino*) dialoguent avec l'orchestre.

Contrepoint : Technique de composition musicale consistant

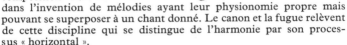

dans l'invention de mélodies ayant leur physionomie propre mais pouvant se superposer à un chant donné. Le canon et la fugue relèvent de cette discipline qui se distingue de l'harmonie par son processus « horizontal ».

Courante : Danse française à trois temps, particulièrement en vogue sous le règne de Louis XIV. Dans la Suite instrumentale, c'est une pièce noble, généralement à 3/2, qui se place normalement après l'Allemande (exemple : *Partita n° 5* de Bach). Connue dans la musique instrumentale, dès le début du XVIIe siècle, la courante italienne est probablement une déformation de la courante française, dont elle se distingue par un rythme à 3/8 ou à 3/4 et un mouvement rapide en croches ou doubles-croches (voir *Suite n° 1* de Bach).

Diatonique : Qui procède principalement par tons entiers (par opposition à chromatique). Nos gammes occidentales, majeure et mineure, sont dites « diatoniques ».

Dissonance : Désaccord entre deux ou plusieurs sons simultanés, qui provoque le besoin d'une « résolution » sur une consonance, qui sera plus ou moins retardée.

Dominante : Cinquième degré de la gamme diatonique.

Dodécaphonique : Musique où sont utilisées sans hiérarchie les douze notes de la gamme chromatique. Le système dodécaphonique, tel qu'il découle du traité d'harmonie de Schönberg, repose sur l'abolition des privilèges dont jouissaient certains degrés de la gamme (tonique, dominante, sensible) ; l'égalité absolue doit régner entre les douze notes de façon à détruire tout sentiment tonal. La cellule génératrice d'une œuvre dodécaphonique est la « série » (d'où l'appellation *musique sérielle*), succession arbitrairement choisie des douze notes de la gamme chromatique, laquelle série doit se retrouver tout le long du morceau sans répétitions, tantôt

Dallapiccola, extr. du « Quaderno Musicale di Anna Libera ».

exposée en entier à l'une des parties, tantôt répartie entre les différentes parties selon les lois harmoniques particulières.

Fugue : La forme la plus parfaite de composition polyphonique dans laquelle le style d'imitation est poussé jusqu'à ses plus extrêmes conséquences. Dérivée du canon, la fugue fait exposer un thème caractéristique par des voix qui entrent à une quarte ou à une quinte l'une de l'autre (*sujet - réponse - sujet - réponse...*), chaque *entrée* étant accompagnée d'un nouveau motif ou *contre-sujet* à la partie qui était entrée précédemment. L'entrée consécutive des différentes voix (que l'on appelle conventionnellement soprano, alto, ténor, basse pour une fugue à quatre voix) accompagnée du contre-sujet s'appelle une *exposition de fugue*. Elle est suivie d'un court *divertissement* en style d'imitation libre, puis de la *contre-exposition*, sorte de reflet de l'exposition dans laquelle on fait entendre théoriquement d'abord la réponse, puis le sujet. A cette règle on peut trouver autant d'exceptions que l'on veut dans l'œuvre de Bach : il arrive souvent par exemple que, dès le premier divertissement, sujet et réponse soient présentés dans un autre ton (le relatif en général)... Mais plutôt que de poursuivre cette fastidieuse définition qui pourrait remplir des pages sans jeter grande lumière, prenons l'enregistrement de *l'Art de la Fugue* par Kurt Redel (le choix judicieux des instruments en rend l'audition particulièrement claire) et écoutons, munis d'un chronomètre, la 3e Fugue (elle est en ré mineur) :

0″ : Sujet au ténor, (basson) (il commence par une quarte descendante : ré-la)

10″ : Réponse à l'alto (cor anglais) accompagnée d'un contre-sujet chromatique au ténor (la réponse commence par une quinte descendante : la-ré).

20″ : sujet au soprano (hautbois) accompagné du même contre-sujet à l'alto (cette fois à la quinte supérieure).

35″ : Réponse à la basse (violoncelle) ; contre-sujet au soprano.
Voilà l'exposition de cette fugue. Suit un divertissement qui fait
entendre la réponse successivement dans le ton original de ré mineur
(54″) puis en la mineur (1′10″) puis en fa majeur ton relatif de l'original (1′23″). Réexposition qui tient lieu de strette (de l'italien
stretto, serré : passage où les voix entrent à intervalles rapprochés) :
sujet à la basse en ut mineur (2o′2″), réponse à l'alto en ré mineur
(2′10″), sujet au soprano (2′16″), réponse au ténor (2′20″). Conclusion sur une pédale de ré à la basse selon l'usage.

Gavotte : Danse française connue depuis le XVIe siècle mais dont la
grande vogue date du temps de Lully. Elle est normalement à 2/2
(alla breve) dans un mouvement modéré. Dans les *suites* du XVIIIe
siècle, elle figure le plus souvent après la sarabande (c. f. les deux
gavottes de la *3e Suite en ré* de Bach).

Gigue : Danse rapide d'origine anglaise à 3/8, 6/8, ou 9/8 (parfois
à 4/4 chez Bach). Dans les suites instrumentales elle se place généralement à la fin (c. f. *3e Suite en ré* de Bach).

Harmonie : Terme qui s'oppose à celui de contrepoint et qui
désigne l'étude (et la pratique) de la formation et de l'enchaînement
des accords.

Harmoniques (sons) : Sons qui se superposent au son fondamental
et déterminent le timbre par leur nature et leur intensité relative.
Pour parler plus scientifiquement, la fonction périodique de tout
son musical est la somme des fonctions périodiques de ses harmoniques. Les fréquences des harmoniques sont des multiples de la
fréquence du son fondamental. Exemple :

Dernier ut grave du piano : 1er harmonique ou « fondamental »
.... 32 périodes [1]

2e harmonique (ut à l'octave)	64	—	(32×2)
3e harmonique (sol)	96	—	(32×3)
4e harmonique (ut double oct.)	128	—	(32×4)
5e harmonique (mi)	160	—	(32×5)
6e harmonique (sol)	192	—	(32×6)

En poursuivant le tableau des harmoniques on rencontre des sons
qui ne sont pas justes (n'appartiennent pas à la gamme) : ceux dont
le rapport de fréquence avec le son fondamental est un nombre
premier (ex. 7e harmonique... 32×7 qui est voisin du si bémol).
De plus, à partir du 17e harmonique, les harmoniques successifs sont
distants de moins d'1/2 ton et n'appartiennent donc pas pour la
plupart à la gamme tempérée de douze sons. En examinant le petit
tableau ci-dessus il est facile de reconnaître par extrapolation que
le 80e harmonique (80 fois la fréquence du fondamental) et le

---

1. La période est la durée d'un cycle complet dans un mouvement vibra-
toire. On mesure la hauteur des sons en périodes/sec., ou, ce qui est équivalent, en Herz (dénomination plus scientifique).

81e (81 fois cette fréquence) ne sont différents que d'un comma (81/80) [1].

On obtient sur des instruments à corde des *sons harmoniques* sans fondamentale en touchant la corde légèrement du bout du doigt au point qui en est exactement le tiers (position de la quinte : on obtient l'octave de la note effleurée), ou le quart (position de la quarte : on obtient la double-octave de la note fondamentale).

Intervalle : « Distance » entre un son et un autre, ou, plus exactement, rapport de deux sons entre eux. Un intervalle est défini par le rapport des fréquences de vibration des deux sons. Les intervalles sont désignés par des termes qui indiquent le rang de la seconde note par rapport à la première prise comme fondamentale (seconde, tierce, quarte, quinte, sixte, septième, octave, neuvième, dixième, etc.)

Mode : Manière d'être d'un système musical, définie par les intervalles entre les notes de la gamme qu'il engendre. La musique très ancienne, la musique d'Extrême-Orient et celle de certains compositeurs contemporains (Messiaen, par exemple) utilisent un grand nombre de modes. La musique classique n'en connaît que deux : le *majeur* et le *mineur* (où la tierce et la sixte sont 1/2 ton plus bas que dans le majeur).

Le Plain-chant * utilise huit modes différents appelés tons ecclésiastiques, qui sont :

1. *Dorien :* de ré à ré sur les touches blanches du piano.
2. *Hypodorien :* de la à la (finale ré).
3. *Phrygien :* de mi à mi.
4. *Hypophrygien :* de si à si (finale mi).
5. *Lydien :* de fa à fa.
6. *Hypolydien :* de do à do (finale fa).
7. *Mixolydien :* de sol à sol.
8. *Hypomixolydien :* de ré à ré (finale sol).

Modulation : La vraie signification de ce terme est : passage d'un mode à un autre. On l'utilise improprement aujourd'hui pour désigner le passage d'une tonalité à une autre (quel qu'en soit le mode) dans le cours d'une même composition musicale, par des procédés qui relèvent de l'étude de l'harmonie.

Monodie : Chant pour une voix seule avec ou sans accompagnement instrumental. Ce terme s'oppose à celui de polyphonie. — On qualifie de *monodique* un style de composition vocale, ou même instrumentale, où une seule partie, caractérisée par la continuité de la ligne mélodique, constitue l'essentiel de l'œuvre, les autres parties étant limitées au rôle d'« accompagnement ».

Motet : Au XIIIe siècle, on appelait ainsi une pièce polyphonique dans laquelle la partie principale (*ténor* ou teneure), empruntée

---

1. Certains instruments de musique électroniques (ondioline, clavioline, etc... et naturellement les « Ondes Martenot ») réalisent la synthèse des timbres à partir d'harmoniques purs.

généralement au plain-chant, était entourée de plusieurs mélodies religieuses ou profanes en manière de *déchant*. A l'origine, on appelait *Motet* la voix *organale* (ou de *déchant*) qui portait les mots du texte liturgique, tandis que les autres parties pouvaient être aussi bien vocalisées, confiées à des instruments ou chantées sur d'autres textes. Aux XVe et XVIe siècles on appelle *Motet* toutes les œuvres polyphoniques sur des textes liturgiques. A partir du XVIIe siècle, ce mot servira à désigner les grandes œuvres religieuses avec solistes et instruments.

Passacaille : Danse ancienne d'origine espagnole ou italienne, pratiquée dès le XVIe siècle et dont la forme est à peu près identique à celle de la chacone. Peut-être est-elle un peu plus développée que la chacone et traitée dans un style instrumental plus brillant (l'un des plus beaux exemples est la *Passacaille en ut mineur* de Bach).

Pavane : Danse noble ancienne, très en vogue aux XVIe et XVIIe siècles, à 2/4 ou 4/4 dans un mouvement lent.

Plain-Chant : Chant liturgique de l'Église catholique datant des premiers siècles de l'ère chrétienne et réformé au début du VIIIe siècle. Les principales caractéristiques du plain-chant sont de n'être pas mesuré et d'utiliser divers modes hérités des Grecs que l'on appelle « tons ecclésiastiques ».

Polyphonie : Superposition de plusieurs voix, traitées mélodiquement selon les règles du contrepoint. (V. pp. 27-30 et 35-36).

Polyrythmie : Superposition de plusieurs rythmes différents dans une même composition musicale. Plusieurs cloches de grosseur différente sonnant ensemble donnent un exemple frappant de polyrythmie.

Polytonal : Se dit d'une œuvre musicale dans laquelle des tonalités différentes sont utilisées simultanément aux différentes parties.

Darius Milhaud, extr. de « Printemps ».

Prose : Voir *Séquence* (synonymes).

Relatif : Rapport entre deux tons, l'un majeur, l'autre mineur, ayant les mêmes altérations à la clef. Par exemple *ut* mineur et *mi* bémol majeur (trois bémols) ; si l'on est en ut mineur, on dira du ton de mi bémol que c'est le relatif majeur et vice versa. Le relatif majeur d'un ton mineur est à la tierce mineure au-dessus.

Ricercare : Dénomination adoptée au XVIe siècle en Italie *(ricercare : rechercher)* pour désigner des pièces instrumentales en

« style d'imitation » polyphonique, c'est-à-dire basées sur l'imitation aux différentes parties d'un ou plusieurs thèmes initiaux. Le *Ricercare* est à l'origine de la fugue.

Sarabande : Danse d'origine espagnole, noble et compassée, à 3/4 dans un mouvement lent. Dans la *suite*, la sarabande se place le plus souvent entre la courante et la gigue. Elle est parfois chargée de beaucoup d'ornements (c. f. *2e Suite en si mineur* de Bach.)

Sensible : Septième degré de la gamme diatonique, séparé de la tonique par 1/2 ton. Elle doit son nom au sentiment d'attraction vers la tonique qui la caractérise.

*Séquence (*ou *Prose) :* Dans la liturgie chrétienne primitive, poème religieux empruntant sa mélodie aux longues vocalises jubilatoires des alleluias. Les chanteurs, incapables de se rappeler ces vocalises, leur adaptèrent des petits poèmes comme moyen mnémotechnique, puis en vinrent à les chanter à leur place *(Pro sequentia)*, d'où l'abréviation *pro sa* qui donna *prosa ;* ils finirent par se séparer complètement des alleluias et être chantés sur des mélodies nouvelles.

Série : voir *Dodécaphonique.*

Sonate : A l'origine, terme très général qui désignait les pièces instrumentales (à sonner) par opposition aux pièces vocales (cantates). Dans son acception moderne, ce mot désigne une série de trois ou quatre pièces écrites généralement pour un ou plusieurs instruments. La sonate, issue de la *suite*, s'en distingue par trois caractères principaux :

1. Seuls les premier et dernier morceaux sont toujours dans la tonalité principale.

2. L'ordre des morceaux est fixé généralement ainsi (il s'agit naturellement de la sonate classique) : modéré — lent — menuet ou scherzo à 3/4 qui peut être omis — vif et brillant.

3. La construction des différentes pièces, binaire dans la suite, est ici ternaire : exposition — développement modulant — réexposition. Cette construction ternaire est surtout caractéristique du premier allegro dont le développement obéit normalement à des lois strictes (forme-sonate).

Symphonie : A l'origine (et encore au temps de Bach), ce terme désignait un interlude instrumental dans une œuvre vocale (opéra, cantate) ; depuis le milieu du XVIIIe siècle, la symphonie est devenue une sonate pour orchestre.

Tempérament : Égalisation arbitraire des douze demi-tons de la gamme. Cette mesure a été rendue nécessaire par la nature même des instruments à clavier (instruments à sons fixes). En acoustique il y a par exemple plusieurs *ut* différents selon le degré de parenté avec d'autres sons (quinte supérieure de *fa*, ou tierce inférieure de *mi*, ou quinte inférieure de *sol*) ; ou encore, *ré* bémol (tierce inférieure de *fa*) est différent de *do* dièse (considéré comme tierce de la tierce de *fa*) et ces deux sons ont entre eux un rapport de fréquence de 125/128. Il est évident que la considération de cette multitude de sons, commandée par le respect de la physique, rendrait impossible la construction d'un instrument à clavier (il faudrait prévoir une multitude de touches par octave). On décida donc que tous les demi-tons seraient égaux entre eux et l'on modifia la hauteur des sons pour que *do* dièze soit identique à *ré* bémol, *ré* dièze à *mi* bémol, etc.).

Tessiture : Ensemble de sons convenant le mieux à une voix déterminée (et non pas : étendue maxima d'une voix).

Toccata : (de l'italien *toccare*, toucher) pièce pour instrument à clavier, dont la seule caractéristique est d'être très brillante. Cette dénomination se rencontre déjà dans l'œuvre de A. Gabrieli.

Tonalité : Dans la théorie musicale classique, caractère essentiel de l'ensemble des sons parmi lesquels sont choisies les notes constitutives d'une mélodie, d'un accord ou d'une œuvre musicale. La tonalité est définie par la *tonique* (dont elle porte le nom), la *dominante* et la septième. Ne pas confondre *tonalité* et *mode*. On dit d'un morceau qu'il est dans la tonalité d'ut ou de ré et dans le mode majeur ou mineur.

Tonique : Note fondamentale, première note de l'échelle de sons qui sert de matériau à la composition d'une œuvre musicale. La tonique est un point vers lequel converge la mélodie et sur lequel se fait sa conclusion.

Transposer : Noter ou exécuter un morceau de musique dans un autre ton que celui où il est écrit.

Transpositeurs (instruments) : pour améliorer le son de certains instruments à vent, on s'avisa d'en modifier la longueur. Malheureusement, ce perfectionnement était extrêmement troublant pour les instrumentistes qui étaient habitués à produire certains sons avec tel doigté et qui désormais, avec le même doigté, allaient en produire de différents. Pour éviter aux instrumentistes d'avoir à changer leur doigté, on décida de noter sur leurs parties non pas la note désirée, mais celle dont le doigté sur l'instrument original permet d'obtenir la note désirée sur l'instrument nouveau. Les instruments qui donnent lieu à cette pratique sont appelés « instruments transpositeurs ». Les principaux sont : les cors anglais, les clarinettes en la et en si bémol, les cors, les trompettes en si bémol et en ré. Voici un exemple :

Si un instrumentiste prend une clarinette en *ut* (instrument qui n'est plus utilisé de nos jours) et qu'on lui demande par exemple un *ut* et un *sol*, on entendra un *ut* et un *sol*. S'il prend une clarinette en *la* (une tierce mineure plus basse), à la même demande il répondra en jouant un *la* et, un *mi*. Pour obtenir un *ut* et un *sol*, il faudra lui demander un *mi bémol* et un *si bémol*.

Adagio : Doucement, commodément. Indique toujours un mouvement lent ou même très lent.

Alla breve : A la manière d'une brève. C'est-à-dire en donnant aux longues la valeur que l'on donnait aux brèves. Dans une mesure *alla breve* on ne bat plus les noires, mais les blanches.

Allegro : Gai, joyeux. Ce terme n'est à prendre dans son sens exact que dans la musique du XVIIIe siècle. Il a pris par la suite le sens de rapide.

Andante : Allant (du verbe *Andare :* aller), c'est-à-dire d'un mouvement modéré, celui qui conviendrait à la promenade de l'« Indifférent » de Watteau. *Piu Andante :* plus allant (c'est-à-dire plus vite, et non pas « plus lent » comme l'interprètent certains).

Andantino : Morceau *andante* de petite dimension (et non pas « moins » *andante*).

Assai : Beaucoup, très *(Allegro Assai, Lento Assai,* etc.)

Calando : En baissant - Pratiquement : en diminuant à la fois la sonorité et le mouvement.

Coda : Queue. Fragment musical constituant la conclusion d'un morceau.

Comodo : A l'aise, c'est-à-dire sans rigueur.

Colla parte : Avec la partie principale. C'est-à-dire en suivant celle-ci pour l'« accompagner ».

Corda : Corde. *Una Corda :* une seule corde (au piano, en appuyant sur la pédale de gauche). *Tre Corde :* les trois cordes (en lâchant cette pédale pour que le marteau frappe normalement les trois cordes).

Da Capo : Du commencement.

Doppio Movimento : Au double du mouvement.

Largo : Large ; indique un mouvement lent.

Mosso : (mot à mot : Mis en mouvement.) Ému, agité.

Pizzicato : Pincé. C'est-à-dire en pinçant la corde au lieu d'utiliser l'archet. En abrégé, on écrit généralement : *pizz.*

Presto : Rapide.

Rinforzando : En renforçant (le son) dans un rapide crescendo. En abrégé on écrit : *rf* ou *rfz.*

Rubato : Volé. Indique des durées escamotées ou, plus généralement, des variations expressives du tempo.

Scherzo : Plaisanterie. *Scherzando :* En plaisantant.

Smorzando : En éteignant (le son).

Sotto voce : A voix basse.

Staccato : Détaché.

Strepito : Bruit. *Con Strepito* ou *Strepitoso :* Bruyamment.

Stretto : Serré, strict.

Stringendo : En serrant.

Tasto : Touche (d'un piano ou d'un instrument à cordes).

263

Tableau de l'étendue des voix et des instruments. On a indiqué, sous la portée, les fréquences approximatives de chaque son (F) et la longueur des tuyaux d'orgue correspondants (T).

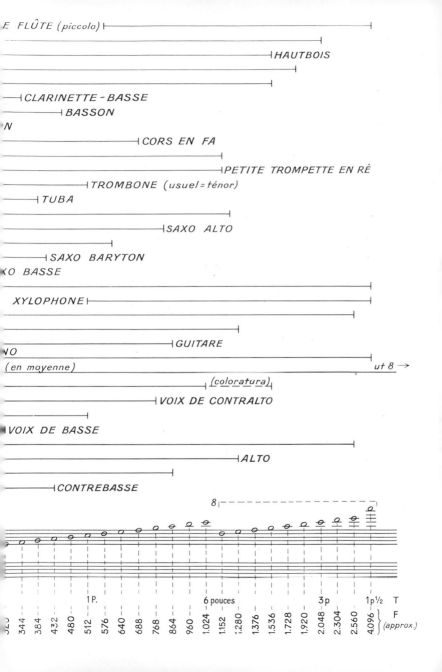

Les principaux instruments de l'orchestre

Les Bois

Flûte : Son origine se perd dans la nuit des temps : on en a trouvé au cimetière d'Ur datant d'environ 3 000 ans avant Jésus-Christ. Aujourd'hui cet instrument est rarement en bois (sauf en Allemagne) ; on le fait plutôt en argent ou en métal argenté ou doré. On en joue en dirigeant un mince filet d'air sur le bord, en biseau, du trou rond qui tient lieu d'embouchure. La flûte utilisée à l'orchestre est appelée flûte traversière, par opposition à la flûte-à-bec, très employée jusqu'au XVIIIe siècle (c. f. 4e *Concerto brandebourgeois* de Bach) et qui est devenue aujourd'hui un instrument populaire.

Hautbois : instrument qui sous sa forme actuelle date de la fin du XVIIe siècle. Des ancêtres de cet instrument se rencontrent dans l'Égypte antique et chez les Grecs (aulos conique à anche double). Il est constitué d'un tube conique à l'extrémité duquel est fixée une anche double en roseau que l'instrumentiste tient serrée entre ses lèvres.

Cor anglais : variété de hautbois, plus grave et aux sonorités plus chaudes. L'emploi le plus célèbre de cet instrument est celui qu'en a fait Wagner au troisième acte de *Tristan*.

Clarinette : instrument cylindrique, muni d'une anche battante. Son ancêtre lointain est l'aulos cylindrique des Grecs. Dans sa forme actuelle, il résulte de la transformation, vers 1690, de l'ancien *chalumeau* français et fut employé pour la première fois à l'orchestre par Rameau (*Zoroastre*, 1749). La richesse de la clarinette réside dans sa vaste étendue (trois octaves et demie) et dans l'étonnante variété de ses timbres aux différents registres : elle apparaît avec splendeur dans le prodigieux concerto qu'a écrit Mozart pour cet instrument.

Clarinette-basse : Grande clarinette, aux sonorités très chaudes, qui sonne à l'octave de la clarinette de même ton.

Basson (Fagotto en italien*) :* Cet instrument qui date de la fin du XVIe siècle est constitué par un gros tube cylindrique en bois, muni d'un petit tuyau métallique en forme d'S à l'extrémité duquel est fixée une anche double plus grosse que celle du hautbois.

Les Cuivres

Cor : Instrument à embouchure où les lèvres jouent le rôle d'anche double. Le *cor de chasse* du XVIe siècle était un instrument primitif de petites dimensions sans grands rapports avec le cor actuel. Vers 1630 apparut la *trompe de chasse* en *ré* (presque identique à la trompe de chasse actuelle) que Lully fut le premier à utiliser. Le *Cor d'harmonie* (notre cor actuel mais sans piston) fut employé pour la première fois à l'orchestre par Keiser. L'invention des pistons (cor chromatique) permettant de jouer tous les degrés de la gamme chromatique, date du début du XIXe siècle. On peut voir les origines du cor dans le buccin romain et le serpent médiéval.

Trompette : Les origines de cet instrument sont aussi anciennes que celles de la flûte, mais, dans sa forme actuelle, il date du XVIIe siècle (l'art de recourber un tuyau de métal est d'origine relativement récente). On lui adjoignit des pistons en même temps qu'au cor. En plus des trompettes usuelles, il existe une petite trompette en *ré* qui facilite l'émission des sons aigus et leur donne un éclat particulier (c. f. Bach, 2e *Concerto brandebourgeois*).

Trombone : Famille d'instruments dont on n'utilise plus aujourd'hui que le *ténor*. Dans sa forme actuelle, le trombone à coulisse date du Moyen-Age (Saquebute) ; il fut employé pour la première fois au théâtre par Gluck *(Alceste)*.

Tuba : Instrument moderne (1835) qui est joint aux trombones (habituellement au nombre de trois dans l'orchestre) pour renforcer les basses.

La percussion

Cette catégorie comprend une foule d'instruments de toutes natures. Certains donnent des sons musicaux de hauteur déterminée : timbale, xylophone, jeu de cloches. D'autres donnent des sons complexes de hauteur indéterminée, ou des bruits : cymbales, tam-tam (ou gong), grosse caisse, caisse claire, tambour de basque, etc...

Instruments exceptionnels

Le piano et l'orgue (v. note ci-dessous) que certains compositeurs ont employés dans l'orchestre autrement qu'en soliste (Saint-Saëns dans sa célèbre 3e *Symphonie* utilise l'orgue et le piano à 4 mains).

La Harpe.

Les instruments spéciaux à clavier : jeu de timbres, glockenspiel, célesta.

Les cordes

Violons (divisés en premiers et deuxièmes violons), altos, violoncelles, contrebasses. Ces instruments, nés comme on le sait des modifications successives des divers types de violes, sont bien trop familiers pour qu'il soit utile de les décrire. Ils constituent dans l'orchestre un groupe dont l'importance est calculée en fonction de la salle et du nombre d'instruments à vent prévus sur la partition. Tandis que chaque partie d'instrument à vent est jouée par un seul musicien, chaque partie d'instrument à cordes est jouée par un nombre plus ou moins grand de musiciens.

Orgue positif
(Psautier Carterell, XIVᵉ s.,
British Museum).

Note sur l'orgue

Cet instrument trouve son origine dans l'*aulos* double des Grecs et dans l'*hydraule* (v. page 15). Le système pneumatique de soufflerie fut inventé au VIIIᵉ siècle. Jusqu'au XIIIᵉ siècle, les instruments sont très simples et portatifs (orgues positifs). Ils prennent ensuite place dans les chœurs des églises. C'est à la fin du XIVᵉ siècle que le grand-orgue s'installe dans la tribune : il est doté de deux claviers (« grand-orgue » et « positif ») et d'un pédalier qui actionne seulement les touches inférieures du clavier manuel.

XVIᵉ siècle : Jeux de pédale séparés. Claviers de trois à quatre octaves.

Fin XVIᵉ siècle : 3ᵉ clavier (« récit »).

XVIIIᵉ siècle : 4ᵉ puis 5ᵉ claviers (« Écho » — ou « Solo » à partir du XIXᵉ — et « Bombarde »).

1865 : Électrification de l'orgue.

Les tuyaux d'orgue se divisent en deux grandes familles :

1. JEUX A BOUCHES (tuyaux à embouchures de flûte) :
- Fonds : *montres* (tuyaux apparents), *flûtes*, *gambes*, *bourdons*.
- Mutations ou mixtures (jeux qui interviennent pour enrichir

André Marchal chez lui.

les fonds en leur adjoignant leurs harmoniques naturels) : *nasard, tierce, larigot,* etc.

Il existe des jeux dits de « mutation composée » qui font entendre simultanément le fondamental et plusieurs harmoniques. Certains comprennent jusqu'à dix rangs de tuyaux (c'est-à-dire qu'une touche fait parler dix tuyaux) : *plein-jeu, fournitures, cymbales.*

2. Jeux d'anche (tuyaux à anche libre ou battante) :

*Trompettes (*clairon, bombarde, etc.), *Bassons, Hautbois, Clarinette, Voix humaine.*

La longueur des tuyaux s'évalue en pieds. 1 pied = 33 cm. Lorsque l'on parle d'un jeu de 32 pieds, on entend par là que le plus grand tuyau du jeu, celui qui donne le son le plus grave, a 32 pieds (soit 10,56 m) de haut.

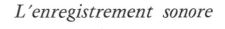

L'enregistrement sonore

Si la première machine susceptible d'enregistrer puis de reproduire les sons ne date que de la fin du siècle dernier, la conservation des messages verbaux n'en est pas moins un vieux rêve de l'humanité, une géniale utopie des anciens, comparable à la « pierre philosophale » des alchimistes ou au rêve d'Icare...

Environ 2000 av. J.-C. : Une très vieille légende chinoise nous apprend qu'un empereur reçut d'un de ses sujets un message contenu dans un coffret mystérieux qui restituait la parole qu'on y avait enclose. La légende ne dit pas comment on s'y prenait pour introduire la parole dans le coffret et pour l'en extraire.

XIIIe siècle : La « tête parlante » d'Albert-le-Grand, moine dominicain (1193-1280).

1548 : Dans *Pantagruel* (chap. LVI), Rabelais raconte que des paroles gelées pendant une bataille sur une mer glaciale « dégelaient » un peu plus tard. « Je voulois quelques mots de gueule mettre en réserve dedans de l'huile, comme l'on garde la neige et la glace... »

1632 : Le *Courrier véritable* d'Amsterdam publie le récit d'un navigateur, le capitaine Vosterloch, selon qui les tribus indiennes de l'extrême sud Américain se transmettent des messages en parlant devant une éponge qui, pressée, restitue les paroles « enregistrées ».

1656 : Cyrano de Bergerac dans l'*Histoire Comique des Estats et des Empires de la Lune*, décrit le livre des Sélénites : boîte compliquée qui permet de lire avec les oreilles.

XVIIIe siècle : Un certain baron de Kempelen, fabricant d'automates cité par Hoffmann, construit un « Turc parlant ».

1807 : Le physicien Young inscrit les vibrations d'un corps sonore sur un cylindre enduit de noir de fumée et animé d'un mouvement rotatif. (Duhamel, Wertheim, Lissajoux et quelques autres ont renouvelé ses expériences.)

1857 : Léon Scott de Martinville invente le « phonautographe », appareil destiné à enregistrer les vibrations sonores, et prend un brever. L'appareil ne prévoit pas encore la reproduction de ces sons, mais peut constituer, selon les termes de l'inventeur, un

« accordeur universel » en permettant de comparer le tracé de plusieurs vibrations et de mesurer les longueurs d'onde.

1876 : Construction des premiers microphones à contact par Bell et Manuel. Le principe en avait été imaginé plus de vingt ans auparavant et, dans un article de l'*Illustration* de 1854, Bourseult écrit : « Imaginez que vous parliez près d'une plaque mobile assez souple pour que celle-ci établisse et interrompe successivement le circuit d'une pile. On peut concevoir à distance une autre plaque reproduisant en même temps ces vibrations. » Ce principe, appliqué rapidement au téléphone, mit malheureusement assez longtemps à être utilisé pour l'enregistrement.

1877 : Charles Cros (1842-1888), poète et savant, dépose à l'Académie des Sciences un pli cacheté d'une importance considérable. Il y expose le principe du premier appareil reproducteur de son, qu'il appelle « paléophone » et qui repose sur le principe suivant : « Si une membrane munie d'un style trace un sillon sous l'action d'un son, ce sillon fera vibrer la membrane lorsque son style repassera dans le sillon et on retrouvera le son initial. » Ce principe nous paraît presque évident, mais personne ne semble y avoir pensé avant Charles Cros qu'il faut considérer comme le véritable inventeur du phonographe. On raconte qu'il en réalisa une maquette avec des objets hétéroclites et qu'il réussit, devant quelques amis, à lui faire reproduire un mot bref et historique, le premier mot qui fût confié au phonographe !

1877-1878 : En Amérique, Edison (1847-1931) construit son premier « phonogramme ». Avait-il eu connaissance de l'invention de Cros ? Il est probable que non et que ces deux découvertes consécutives ne soient que le résultat d'une coïncidence. Malheureusement pour notre compatriote, il n'eut pas les moyens financiers de prendre un brevet et d'exploiter son invention, comme put le faire Edison. La nouveauté était si surprenante que lorsque l'appareil d'Edison fut présenté en 1878 à l'Académie des Sciences, les sages académiciens crurent un instant à une mystification. « Il y a un ventriloque dans la salle, s'écria le docteur Bouillaud, ancien médecin de Napoléon III. Qu'il sorte ! On ne se moque pas ainsi de l'Académie. »

1889 : Le phono d'Edison est proposé au public à l'Exposition universelle : rouleaux de cire (remplaçant les cylindres recouverts d'étain), moteur électrique alimenté par piles (les moteurs mécaniques n'apparaissent qu'un peu plus tard), prix exorbitant. La même année, un collaborateur d'Edison fait l'essai, sans lendemain, de la photo animée et sonore (avec son synchrone !) : c'est le cinéma-parlant, aussitôt relégué parmi les accessoires inutiles.

1890 : Apparition des disques et rouleaux dans les foires : attraction sans précédent. Début de l'exploitation commerciale (duplicatage par copie : prix, 40 fr. le rouleau... puis par moulage : prix, 2 fr. 50 le rouleau). Les « œuvres » enregistrées sont des polkas brillantes pour piston, des chansons grivoises ou sentimentales, des monologues troupiers *avé l'assent toulousain*. Bientôt on a l'idée de solliciter les vedettes à la mode : leur voix est méconnaissable, formidablement enrhumée, mais on ne cherche pas encore la perfection artistique et le phonographe n'est encore en somme (comme le cinéma à ses débuts) qu'un amuseur public. D'ailleurs la technique de « prise de son » n'en est qu'au balbutiement et les séances d'enregistrements ressemblent à des compétitions sportives, où l'artiste juché sur un échafaudage doit hurler son morceau dans un immense cornet acoustique chargé de diriger le son sur la membrane vibrante appelée diaphragme, de fabrication rudimentaire.

1894 : Le physicien Dussaud invente le « microphonographe » à pile, enregistreur et reproducteur. C'est l'ancêtre de l'enregistrement électrique et du pick-up, mais il lui manque encore l'amplificateur.

1898 : Reprenant un principe exposé par Oberlin Smith (article dans « Electrical World » du 8 sept. 1888), l'ingénieur danois Valdemar Poulsen (1869-1942) met au point son « télégraphone », sorte d'enregistreur magnétique à fil d'acier. Cet appareil, qui existe toujours (à Hellerup, au Danemark) fait entendre la voix de l'empereur François-Joseph I, enregistrée à l'occasion de sa visite à l'Exposition universelle de Vienne.

1905 : Cependant, le commerce des disques [1] s'organise et l'on assiste à la naissance de nombreuses firmes éditrices. Certaines optent pour la gravure latérale (disques à aiguille : procédé qui est généralisé aujourd'hui), les autres pour la gravure verticale (disques à saphir : procédé Pathé, déjà employé sur rouleaux). On enregistre beaucoup de *bel canto*, les grands chanteurs d'alors jouant auprès du public le rôle des « étoiles » du cinéma aujourd'hui. La qualité

---

1. Qui supplantent définitivement les cylindres.

augmente peu à peu avec celle des diaphragmes, mais les « phonos » ne sont capables de reproduire qu'une gamme de fréquence de l'ordre de trois ou quatre octaves.

1910 : On songe à certaines normalisations indispensables : le diamètre des disques est fixé approximativement à ce qu'il est aujourd'hui ; la vitesse adoptée est de 80 tours/minute.

Le perfectionnement du matériel (diaphragmes surtout) permet l'enregistrement de quelques grandes œuvres : intégrale de *Carmen* chez Pathé, *Concerto pour deux violons* de Bach par Kreisler et Zimbalist, etc.

1910 : Laudet invente un amplificateur à air comprimé qui est adapté au « Chronophone » Gaumont (accouplé électriquement au cinématographe).

1911 : H. Lioret (qui depuis 1893 construisait un appareil appelé « lioretgraphe ») présente à l'Académie des Sciences, avec F. Ducretet et E. Roger, un système d'enregistrement à distance d'une transmission téléphonique. Ce même Lioret (1848-1938), travailleur infatigable, était titulaire d'un nombre imposant de brevets, comprenant un appareil de repérage des sous-marins, une trottinette à pédales, etc.

Vers 1913 : Enregistrement de la 5e *Symphonie* de Beethoven sous la direction de Nikisch, réussite exceptionnelle pour l'époque.

C'est le premier enregistrement commercial de cette œuvre si populaire (il en existe aujourd'hui vingt-sept sur le marché français, et en microsillon seulement).

1913-1915 : Premiers essais d'enregistrement photographique du son par E. A. Lauste (1857-1935).

1925 : Invention de l'enregistrement électrique (ou plutôt, invention à peu de temps de distance de l'amplificateur et du graveur électrique). On invente en même temps le « pick-up » qui repose sur un principe analogue à celui du graveur et qui est, en sens inverse, le siège des mêmes phénomènes. L'enregistrement électrique aurait pu faire faire immédiatement un progrès considérable au disque, si les amateurs s'étaient décidés à se débarrasser de leurs antiques phonographes à diaphragmes et à pavillons pour les remplacer par des appareils équipés du nouveau pick-up. Malheureusement cette dernière invention mit fort longtemps à se répandre dans le grand public et les fabricants de disques se virent obligés de renoncer encore à certains enrichissements de la prise de son (accroissement de la dynamique, par exemple) qui n'eussent pas été supportés par les appareils reproducteurs vétustes.

1926 : Premier enregistrement important réalisé électriquement : *le Messie* de Hændel, intégral, par 3.500 exécutants. La dynamique (rapport d'intensité entre les sons les plus forts et les sons les plus faibles, qui s'évalue en décibels) reste faible ; elle demeurera insuffisante jusqu'à l'avènement du microsillon. Les fréquences enregistrées sont comprises entre 200 et 3.500 périodes environ, avec d'importants creux à certaines fréquences et d'importantes résonances à d'autres.

1927 : Enregistrement de presque toute l'œuvre de Beethoven à l'occasion du centenaire de sa mort (en particulier les symphonies sous la direction du grand Weingartner).

La vitesse de rotation des disques passe de 80 à 78 tours !

1928 : Premier film à son photographique synchrone (procédé Pedersen-Poulsen) : *L'eau du Nil*. Mauvaise qualité sonore due à l'imperfection du développement (distorsions) et à la mauvaise transparence de la pellicule (bruit de fond).

Enregistrement à Bayreuth de plusieurs intégrales de Wagner.

1928-1936 : Premiers disques de longue-durée :

a. Disques professionnels pour le cinéma (vitesse : 33 tours - diamètre : 40 et 30 cm. — durée : 8′-12′ par face) (sillons normaux).

b. Disques de l' « American Braille Press » pour les aveugles (diamètre : 31 cm. - vitesse : 33 tours - sillons rapprochés jusqu'à 65/cm. - durée : jusqu'à 18′ par face).

1929-1935 : Nombreux enregistrements de musique contemporaine interprétée par les auteurs : Strawinsky, Milhaud, Ravel, Poulenc, Prokofieff, etc. Grands enregistrements du trio Cortot-Thibaud-Casals, du Quatuor Lener, du Quatuor Capet, et de tous les plus célèbres solistes (ceux qui avaient enregistré du temps de l'enregistrement acoustique recommencent leurs disques à succès).

1934 : L'enregistreur magnétique « Marconi-Stille », utilisé à la BBC, a des performances acoustiques remarquables (± 2 db. de 100 à 7 000 Hz. avec un taux de distorsion inférieur à 1 %). Mais les bandes utilisées (3 m/m de large, en métal) sont coûteuses et fragiles ; de plus, le bruit de fond est important et la reproduction des basses médiocre.

La même année, à Ludwigshafen, la BASF fabrique les premières bandes magnétiques faites d'un support non-magnétique (en l'occurrence de l'acétate de cellulose, remplacée plus tard par du chlorure de vynil) recouvert d'un enduit magnétique constitué par des particules d'oxyde de fer. L'ère du magnétophone peut commencer dans un proche avenir.

1939 : Premier essai de stéréophonie (3 pistes) sur pellicule de cinéma : *Fantasia* de Walt Disney. Trois micros répartis dans l'orchestre enregistrent chacun 1/3 de la piste sonore.

1943 : Fabrication des premières bandes magnétiques en vynil enduit, ainsi que du premier magnétophone digne d'un usage musical professionnel : la machine AEG « K-7 ». Hors d'Allemagne, les premiers magnétophones de qualité ne verront le jour qu'après la guerre, en 1947-48.

1944 : Decca en Angleterre lance le slogan « ffrr » (*full frequency range recording* : enregistrement de toute la gamme des fréquences). C'est alors que commence la course à la « Haute-fidélité », qui ne trouve son bon terrain de développement que dans le disque microsillon et l'enregistrement magnétique.

1948 : Premier disque microsillon en Amérique.

1949 : Premier disque microsillon en France. Couperin : *Apothéose de Lully* (Oiseau-Lyre OL-LD. 1 ; Ingénieur : A. Charlin).

1950 : Débuts de la stéréophonie sur bandes magnétiques (travail de laboratoire commercialisé un peu plus tard aux USA).

1958 : Premiers disques stéréophoniques en France (v. pages 279 et 286).

Qualités du disque microsillon.

I. Longue durée (jusqu'à 30′ par face de disque 30 cm.) obtenue non seulement par la vitesse réduite à 33 tours/minute mais encore par une gravure à pas serré et des sillons plus fins.

II. Haute-fidélité, qui consiste à reproduire exactement les trois qualités du son musical (hauteur, intensité, timbre) et dépend de plusieurs conditions :
- Étendue de la gamme des fréquences enregistrées, donnant plus de naturel au timbre des instruments. Si cette gamme de fréquences va de 30 à 8 000 périodes c'est déjà de la haute-fidélité. Si elle va de 20 à 20 000 c'est un enregistrement tout à fait remarquable. Étant donné que la limite des sons audibles dans l'aigu est aux entours de 15 000 périodes, le seul intérêt de ces prospections dans l'ultra-son provient de la perception de ce qu'on appelle les « sons différentiels ».

Le physicien Helmholtz a montré que dans un système mis en vibration par deux forces partielles de fréquences f_1 et f_2, il apparaît des vibrations de fréquence $F = mf_1 \pm nf_2$, m et n étant des nombres entiers souvent égaux à 1. Il ne faut pas exagérer l'importance des sons différentiels, qui, d'ailleurs, n'apportent pas que des agréments comme on le verra plus loin : dans la plupart des cas on pourra se contenter largement d'une parfaite reproduction des seules fréquences audibles (déjà rare).

- Il ne suffit pas cependant que soit reproduite la plus grande gamme de fréquence possible (ou, dans le langage des techniciens, « que la bande passante soit le plus large possible »). Encore faut-il que les multiples fréquences qui composent un son musical complexe conservent à la sortie du haut-parleur leurs intensités relatives, ou que la « réponse » de la chaîne d'enregistrement soit proportionnelle à l'excitation reçue par le microphone. En électro-acoustique, on appelle « courbe de réponse » d'un élément d'une chaîne d'enregistrement, ou d'une chaîne d'écoute, la courbe qui donne les variations d'intensité de son (en décibel) en fonction de la fréquence (en hertz). Une « courbe de réponse » droite, c'est-à-dire où ces variations d'intensité sont nulles, n'existe pas dans la pratique. En effet, chaque élément de la chaîne a une résonance propre qui avantage certaines fréquences ; de plus on est obligé à la gravure, pour des raisons qui dépassent le cadre de cet exposé succinct, de relever les aigus et d'abaisser les graves dans certaines proportions bien déterminées (selon certaines courbes qui sont publiées dans les revues spécialisées). La courbe résultante qui caractérise le disque comporte des bosses et des creux... : la courbe de réponse d'un bon électrophone doit lui être rigoureusement symétrique afin de compenser ces bosses et ces creux.
- Respect de la dynamique (rapport entre les sons les plus forts et les sons les plus faibles). L'invention des matières plastiques a rendu cette qualité possible : la surface plus silencieuse des disques permet de graver des *pianissimi* véritables et la plus grande solidité de la matière permet de loger dans les sillons d'importants *fortissimi* sans risquer de rompre à la lecture le mur qui sépare deux sillons.
- Reproduction claire des « sons transitoires ». On désigne ainsi les phénomènes sonores non périodiques qui se produisent à l'établissement d'un son (exemple : l'impact du marteau sur la corde d'un piano). De la qualité des « transitoires » dépend principalement l'effet de présence.

III. Réduction considérable du bruit de fond. Ce bruit pourra être encore réduit dans l'avenir, mais ne saurait être supprimé complètement, et il est absurde de centrer la publicité, comme l'ont fait certains éditeurs aux débuts du microsillon, sur cette qualité qui est loin d'être la principale.

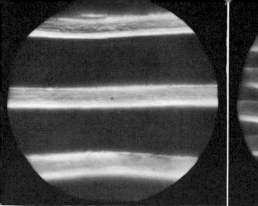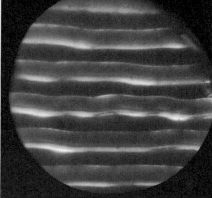

Agrandissements à la même échelle d'un demi-millimètre environ de disque 78 tours et d'un demi-millimètre environ de disque 33 tours.

Quelques chiffres

1. *Disques 78 tours*
Vitesse : 78,26 tours/minute ($\pm$ 0,3 %).
Pas : 38-54 sillons/cm.
Profil du sillon : 88° ($\pm$ 4°).
Largeur du sillon : 100-150 microns.
Rapport S/B : 20 décibes. (S/B = signal sur bruit de fond ; c'est-à-dire rapport d'intensité entre un forte normal et le bruit de fond).

2. *Disques microsillons 33 tours*
Vitesse : 33 tours 1/3 minute ($\pm$ 0,3 %).
Pas : 70-160 sillons/cm.
Profil : 88° ($\pm$ 4°).
Largeur moyenne du sillon : 40-60 microns.
Rapport S/B : 40-50 db. (Résultat optimum.)

Comment est fabriqué un disque

1. *Enregistrement :* le magnétophone est aujourd'hui universellement utilisé. Ce procédé, dont tout le monde connaît la pratique, mais dont le principe technique est trop complexe pour être exposé dans ce chapitre, est supérieur à l'ancienne méthode d'enregistrement sur cire ou disque souple pour plusieurs raisons :
- meilleure qualité technique (sensibilité, homogénéité).
- possibilité de réécouter la bande autant de fois que l'on veut sans l'abîmer.

La cabine vue du studio

Le studio vu de la cabine

L'ingénieur du son à son pupitre

- possibilité d'effacement parfait (économie par récupération des bandes mal enregistrées).

- facilité de montage de la bande. Ceci est d'une importance considérable.

La durée d'une séance d'enregistrement est habituellement de trois heures. Au cours de ces trois heures un éditeur soigneux n'enregistre que quinze à vingt minutes de musique définitive (parfois seulement dix minutes), car chaque morceau ou fragment de morceau doit être recommencé autant de fois qu'il faut pour arriver à un résultat technique et musical impeccable (le montage fera le reste). On peut utiliser un seul micro par canal ou plusieurs ; les deux techniques ont leurs défenseurs acharnés. La première présente l'avantage de respecter les plans sonores, c'est-à-dire les distances relatives des différents groupes d'instruments, mais elle demande beaucoup de patience, beaucoup de science et parfois beaucoup de temps, avant d'avoir trouvé l'emplacement optimum de ce seul micro. La seconde technique est plus souple et permet d'avantager certains instruments à sons faibles.

L'enregistrement stéréophonique consiste à utiliser plusieurs micros convenablement disposés, chacun d'eux étant relié à travers son propre canal électro-acoustique, à une « piste » différente de la même bande magnétique (la stéréophonie usuelle utilise deux pistes ; le cinérama, exceptionnellement, en utilise sept). La bande ainsi enregistrée est « lue » sur un magnétophone équipé spécialement, chaque piste étant reliée à un amplificateur et à un haut-parleur séparé. Si les haut-parleurs sont convenablement disposés, on obtient une remarquable illusion de réalité, de relief sonore et le son semble émaner de tout l'espace compris entre les haut-parleurs, chaque instrument donnant l'impression d'être à la place qu'il occupait dans l'orchestre, celui-ci à l'extrême-gauche, celui-là à l'extrême-droite, cet autre dans le fond, loin derrière le mur de votre salon. Les disques stéréophoniques figurent au catalogue des éditeurs français depuis 1958. La stéréo est dite « compatible » (gravure universelle) lorsqu'on peut obtenir une parfaite lecture en mono d'un disque stéréo.

II. *Montage :* Cette opération joue dans l'industrie du disque le même rôle considérable qu'elle joue au cinéma. Elle consiste, après l'enregistrement, à assembler les fragments de bandes réussis et à éliminer les fragments mauvais, à l'aide d'une paire de ciseaux et d'un rouleau de ruban adhésif, en vue d'obtenir un ensemble qui approche autant que possible la perfection. Il arrive qu'une seule fausse note puisse être coupée sur la bande et remplacée par la note souhaitée extraite d'une autre prise. Ce travail demande une grande habileté manuelle et une parfaite connaissance de la musique. Il est rendu possible par le défilement assez rapide de la bande ; si l'on utilise un défilement de 38 cm/sec., une double-croche d'un mouvement rapide représente environ 2,5 cm de bande !

Gravure d'un flan

Machine à graver stéréo Westrex

Machine à graver mono Ortofon

III. *Gravure* : La bande montée et soigneusement vérifiée est donnée à la gravure. L'opération consiste à reporter sur un disque spécial, auquel on donne le nom de *flan* (disque d'aluminium recouvert de vernis cellulosique), la musique qui a été enregistrée sur la bande. Cela se fait à l'aide d'un burin spécial chauffé électriquement à ·une température convenable, qu'un dispositif mécanique fait avancer lentement pendant que le flan tourne à la vitesse voulue (33, 45 ou 78 tours). En même temps que se creuse le sillon, le graveur imprime dans celui-ci les vibrations dont il est animé (ces vibrations étant naturellement le résultat de la transformation, par des procédés électro-magnétiques, des phénomènes purement magnétiques dont la bande enregistrée est le siège).

La plupart des machines à graver utilisent aujourd'hui le « pas variable ». Ce procédé consiste à élargir le pas (c'est-à-dire à éloigner les sillons les uns des autres) dans les passages où la musique est très forte, pour qu'à l'audition la pointe du pick-up animée de fortes vibrations n'endommage pas le mur qui sépare les sillons ; et inversement à resserrer le pas dans les passages où la musique est très douce. Cette méthode comporte deux avantages : pouvoir « loger » dans les sillons des *forte* impressionnants sans risquer des accidents mécaniques sur le disque ; gagner de la place et augmenter de ce fait la durée des disques. Elle donne un aspect particulier au disque qui est moins régulièrement brillant.

IV. *Galvanoplastie* : Le flan gravé est alors envoyé à l'atelier de galvanoplastie où il est d'abord métallisé pour être rendu conducteur de l'électricité (trois procédés principaux : a. bombardement cathodique ou évaporation sous vide — dorure — ; b. précipitation de l'argent d'une solution ammoniacale de nitrate ou cyanure d'argent, le plus communément employé ; c. Pulvérisation à l'aide d'un pistolet spécial). Le flan argenté est ensuite suspendu à la cathode d'un bain de galvano-plastie, avec du cuivre à l'anode. Lorsque le dépôt de cuivre est suffisant, on le décolle : on obtient un négatif en cuivre, recouvert de la mince argenture qui se trouvait sur le flan (négatif = sillons en relief — positif = sillons en creux comme le disque) : on l'appelle le *père*. Celui-ci est mis à son tour au bain et se recouvre d'un nouveau dépôt de cuivre : la *mère* (positif). Celle-ci soigneusement polie peut être écoutée comme un disque ; si cette écoute révèle un défaut, on ne poursuit pas les opérations plus loin et on les recommence depuis le stade où semble s'être produit le défaut. Si la mère est bonne, elle est mise au bain pour produire, toujours par galvanoplastie, la *matrice* (négatif). Cette matrice est polie, centrée avec la plus haute précision et percée d'un trou qui devra s'adapter au téton du moule sur la presse. Habituellement les trois pièces sont préalablement nickelées par le même procédé.

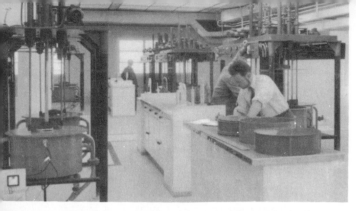

Atelier de galvanoplastie

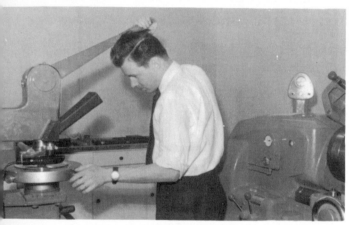

Centrage des matrices

Pressage des disques.

V. *Pressage* : Une presse de disques ressemble à une machine à faire des gaufres, en plus compliqué. Entre ses deux machoires sont montés des moules au diamètre du disque à presser (30, 25 ou 17 cm.) et sur ces moules sont fixées les deux matrices se faisant face. L'ouvrier place alors une étiquette sur le petit téton qui se trouve au centre de chaque moule et qui détermine le trou du disque, pose la quantité voulue de matière préalablement chauffée sur la matrice inférieure et rapproche les deux mâchoires de la presse. Il introduit alors la pression (100 à 130 kg/cm2) ; les moules sont en même temps chauffés à la vapeur puis refroidis par un courant d'eau froide. L'opération dure de 30″ à 1′ selon le format du disque. Il ne reste plus qu'à vérifier celui-ci et à en polir les bords [1].

Quelques défauts
dont peuvent être affligés vos disques

I. *Provenant de l'enregistrement ou de la gravure :*

- Distorsion harmonique : superposition de sons aigus étrangers au son musical et à ses harmoniques naturels.

- Intermodulation : lorsqu'il y a de la distorsion harmonique (ou si votre H. P. est « saturé »), il arrive que certains sons graves impriment à l'intensité de certains sons aigus une modulation dont la fréquence est le double de celle du son grave. Ce phénomène, particulièrement irritant, fait penser à la vibration du sifflet à roulettes. Il est devenu très rare.

- Écho de bande : dans certaines conditions, chaque spire de la bande bobinée impressionne la voisine et l'on remarque, à l'audition, une sorte d'écho très faible qui se produit avant ou après le son original selon que la bande a été bobinée à l'endroit ou à l'envers.

- Souffle continu : provient d'une mauvaise qualité de la bande, d'un burin graveur usé ou mal chauffé, ou d'un défaut d'argenture.

- Effet de moirage de la surface du disque : est dû à un manque de planéité du flan ou à des vibrations infimes de la machine de gravure. Ce défaut n'est en général pas audible.

II. *Provenant de la galvano ou du pressage :*

- « Souffle rythmique » (ou plus couramment « rythmique ») : souffle périodique dû à l'argenture ou à un mauvais stockage du flan avant la galvano.

---

1. La matière utilisée est une « matière plastique » analogue à celle dont sont faits les imperméables et les brosses à dent (chlorure de vynil polymérisé). On y ajoute certaines matières de charge ou de lubrification (stéarate de chaux, carbonate de chaux précipité, matière colorante).

- Crachements : si ceux-ci ne proviennent pas d'un mauvais contact dans votre électrophone, ils peuvent être dus à un défaut d'argenture ou à une mauvaise composition du bain.

- Tocs : sont dus à des défauts d'argenture, à des accidents au moment du décollage de père, mère ou matrice, ou à des impuretés dans les bains (un atelier de galvanoplastie doit faire l'objet des mêmes soins qu'une salle d'opérations).

III. *Provenant de causes mécaniques :*

- Pleurage (désagréable impression d'instabilité de la hauteur des sons) : très rarement dû à une modification de vitesse du magnétophone ou du plateau du graveur, ces appareils professionnels étant des instruments de haute précision. Il faut plutôt en chercher la cause dans une rotation irrégulière du plateau du tourne-disque (demandez à votre disquaire qu'il vous donne un stroboscope : si les raies oscillent, le plateau ne tourne pas régulièrement), ou dans un défaut de planéité ou de centrage du disque.

- Diaphonie : phénomène très gênant qui donne l'impression d'entendre dans le lointain un autre morceau de musique qui se superpose à celui qu'on écoute. Ce défaut est dû généralement à un saphir abîmé ou parfois tout simplement à une poussière assez dure (débris de bois ou de métal) qui s'est collée au saphir et « lit » le sillon voisin.

IV. *Un phénomène d'interférence* dont le siège est l'oreille humaine provient de l'exagération des sons différentiels ou de sommation. Ces sons étrangers ont des fréquences égales à la somme ou à la différence des fréquences des sons originaux et ces diverses fréquences sont souvent des nombres premiers entre eux. En conséquence les sons différentiels ou de sommation ne peuvent être assimilés à des harmoniques des sons originaux et produisent des battements très désagréables à entendre (dont votre disque n'est pas responsable). Ce phénomène est particulièrement sensible dans les chœurs.

Quelques conseils pratiques

Choisissez un bon disquaire et allez toujours vous approvisionner chez lui. Il finira par connaître vos goûts et sera donc en mesure de vous conseiller. Si vous achetez un électrophone, achetez-le de préférence chez lui : cela lui donnera une occasion de plus de vous être agréable.

Dans l'achat d'un électrophone, ne faites pas d'économies excessives ; c'est un appareil trop compliqué pour être bon marché. Vous auriez une grande méfiance à l'égard d'un piano à queue tout neuf vendu 1 000 F ; ayez-en aussi à l'égard des électrophones à bas prix. Les prix des appareils susceptibles d'assurer une audition musicale convenable s'échelonnent actuellement entre 1 000 et 10 000 F (à partir de 10 000 F. il s'agit d'appareils de très haute qualité comparables aux matériels professionnels). Un électrophone médiocre peut ne pas être désagréable à entendre, mais il ne restituera jamais qu'une faible partie des richesses contenues dans un disque.

- Conditions que doit remplir un électrophone :

a. Ses divers éléments (tête de lecture, ampli, haut-parleur) doivent être assemblés par un spécialiste qui, connaissant la courbe de réponse et l'impédance de ces divers éléments, peut seul juger s'il convient de les assembler [1].

b. Le pick-up doit être très léger pour la lecture des disques microsillons (1 à 8 grammes de pression sur le disque).

c. Il est indispensable de choisir un appareil dont la platine-tourne-disque soit séparée du haut-parleur, afin que les vibrations de celui-ci ne puissent se transmettre au pick-up.

d. Sans que cela soit absolument indispensable, il est bien préférable d'avoir à sa disposition un réglage d'aigus et un réglage de graves séparés, pour mieux adapter l'écoute aux caractéristiques des diverses marques de disques.

e. Une pointe en saphir s'use et doit être changée plus fréquemment qu'on ne croit : au grand minimum toutes les cent heures. Une pointe en diamant coûte huit fois plus cher, mais présente le triple avantage de durer dix à quinze fois plus, de donner une meilleure audition grâce à son profil plus rigoureux, enfin (quoi qu'on puisse penser) d'user moins le disque, car sa propre usure étant plus régulière il ne se produit pas à son extrémité des plats dont les bords deviennent tranchants.

- Si votre disque change d'aspect (même légèrement) au passage du pick-up, il est en danger de mort. Il faut changer de saphir immédiatement et vérifier si le bras de pick-up n'a pas été faussé.

- Réglez votre électrophone convenablement, et écoutez *à la puissance voulue* si vous voulez profiter de la qualité de vos disques. Si vos voisins n'aiment pas la musique, ils déménageront.

- N'exposez pas votre « tête de pick-up » à la chaleur ou à l'humidité : le cristal (si c'est une tête piezo) perdra ses propriétés.

- Craignez la poussière qui produit à l'audition de légers pétillements agaçants. Or les disques ont la propriété de se charger d'électricité statique et d'agir comme un aimant sur les poussières environnantes. Nettoyez de temps en temps votre saphir en utilisant délicatement une petite brosse à dent douce (ne pas gratter le saphir avec le doigt qui est toujours un peu gras).

---

1. La courbe de réponse de l'ensemble est naturellement la résultante des courbes de chacune des composantes ; cette courbe résultante doit être exactement symétrique de la courbe résultante d'enregistrement et de gravure pour obtenir le meilleur résultat possible. C'est-à-dire que, si l'enregistrement et la gravure avantagent telle fréquence, l'électrophone doit la désavantager dans les mêmes proportions.

– Ne laissez pas vos disques au soleil : s'ils se gondolent, vous ne les redresserez jamais.

– Placez vos haut-parleurs à l'endroit où ils vous semblent donner le meilleur résultat sonore (de préférence pas sur le sol). Si vous les trouvez laids au commencement, vous finirez par vous y habituer. Il fut un temps où personne n'aurait voulu d'un piano à queue dans son salon tant on trouvait cet instrument hideux.

- Si vous possédez un électrophone (ou un magnétophone) stéréophonique, disposez de préférence les deux haut-parleurs de la manière suivante :

a. à peine convergents, le point de convergence des axes des H.P. devant se trouver derrière l'auditeur.

b. suffisamment éloignés l'un de l'autre pour que la distance qui les sépare soit toujours supérieure à celle qui sépare l'auditeur de la droite imaginaire joignant les deux haut-parleurs.

Ainsi, les haut-parleurs seront généralement adossés à l'une des grandes parois de la pièce (supposée rectangulaire). Si l'on tient cependant à les disposer selon l'un des petits côtés, il faudra les éloigner de la paroi, de sorte que les conditions géométriques définies plus haut soient approximativement observées.

- Lorsque vous aurez réuni les conditions idéales d'une écoute stéréophonique de très haute fidélité, amusez-vous à observer que les très bons disques de musique de chambre (bien plus que les enregistrements de grand orchestre) approchent de si près la perfection qu'il est possible de les confondre avec la réalité.

(Daumier).

Pour paraître connaisseur

Faire systématiquement de Bach (« Jean-Sébastien » pour les initiés) l'ancêtre de toute forme musicale : le jazz, le poème symphonique, la musique dodécaphonique, la chanson réaliste, etc...

Réserver son enthousiasme à la musique très ancienne ou très récente, au théâtre musical, à Busoni, à Sciabine...

Si l'œuvre est compliquée, au point d'être incompréhensible, dire, l'air amusé : « Quelle science de l'écriture polyphonique !... »

Si une œuvre vous paraît « atonale », si la mélodie vous échappe, risquez un saisissant rapprochement avec ce que tout le monde connaît : « C'est le chromatisme de *Tristan.* » Rien ne donne l'air connaisseur comme cette manière de rapprocher l'exceptionnel du familier.

Si l'on parle d'une œuvre secondaire, considérée universellement comme mineure (une opérette, par exemple), dites intelligemment : « Il y a là-dedans des choses qui ne sont pas si mal que ça ! »... et que l'auteur a le sens mélodique ou dramatique, qu'il a le génie du naturel (cela s'est déjà dit et écrit un bon nombre de fois), et concluez : « Voilà encore un musicien qui a été gâché par trop de facilité. »

Rien n'est plus désagréable que d'avoir à entendre des amateurs virtuoses s'ils sont mal doués. Bernard Shaw dut un jour subir un jeune violoniste que sa mère considérait comme un petit prodige. « Cet enfant me rappelle Paderewski », dit le grand écrivain, l'épreuve terminée. « Maître, Paderewski n'était pas violoniste », dit la mère. « Cet enfant non plus, Madame... »

Affirmez, l'air franchement incommodé, qu'un instrument de l'orchestre joue faux... n'importe lequel : il y a une chance pour qu'il n'ait pas joué rigoureusement juste et, de toutes façons, votre interlocuteur ne sera pas assez sûr de lui pour vous contredire, sauf s'il a lu le présent ouvrage.

Naturellement, il est excellent d'emporter la partition d'orchestre au concert. (Attention ! ceci vaut pour les œuvres peu connues seulement. Pour les autres, dont la partition vous est familière, contentez-vous de battre la mesure négligemment.)

Au concert, dites soudain : « do dièse » d'un ton de reproche. Il peut fort bien se trouver un do dièse à cet endroit de la partition et, dans l'affirmative, l'instrumentiste chargé de le jouer peut très bien s'être trompé. De toutes façons, votre interlocuteur, s'il n'est pas musicien, ne trouvera rien à redire et vous considérera avec beaucoup d'estime.

Essayez toujours de remplacer les mots vulgaires par des mots plus recherchés. Par exemple :
mouvement par *tempo*
rythme par *pulsation*
petite note par *appogiature*
chant ou air par *ligne mélodique*
fin par *coda*
début par *exposition*
milieu ennuyeux par *développement modulant,* ou mieux : *pont.*
bruit par *fonction non périodique*
attaques des sons par *phénomènes transitoires.*

A l'audition d'un orgue, ne manquez pas de diagnostiquer un « sommier fatigué », des « anches trop basses »... Dites qu'il y a trop de « pieds » ou pas assez. Et si vous soupçonnez que des rats se sont attaqués à l'instrument pendant l'hiver (très fréquent), ne les logez pas dans les jeux de cymbale : c'est trop petit.

Si vous aimez vraiment la musique, ne tenez aucun compte des recommandations qui précèdent.

Index

LES CHIFFRES EN MAIGRE RENVOIENT AU TEXTE
LES CHIFFRES EN GRAS RENVOIENT A LA DISCOGRAPHIE

collections microcosme
PETITE PLANÈTE

PETITE PLANÈTE/VILLES

LE RAYON DE LA SCIENCE

SOLFÈGES

collections microcosme
ÉCRIVAINS DE TOUJOURS

 LE TEMPS QUI COURT

ACHEVÉ D'IMPRIMER EN 1978 PAR L'IMPRIMERIE TARDY QUERCY S.A. A BOURGES
D. L. 4ᵉ trim. 1956. N° 788.9 (9044)